De dag dat ze Jakob kwamen halen

Norbert Gstrein bij Uitgeverij Cossee

Een wrede zomer

Norbert Gstrein

De dag dat ze Jakob kwamen halen

Vertaling
Els Snick

Cossee
Amsterdam

2 9. 1 2. 2006

De vertaler ontving voor deze vertaling een beurs van
het Vlaams Fonds voor de Letteren

Deze uitgave kwam mede tot stand dankzij een subsidie van
het Goethe-Institut/Inter Nationes

Oorspronkelijke titel *Einer. Erzählung*
©1988 Suhrkamp Verlag Frankfurt am Main
Nederlandse vertaling © 2006 Els Snick
en Uitgeverij Cossee bv, Amsterdam
Omslagillustratie Stone/Getty Images
Boekverzorging Marry van Baar
Foto auteur Bert Nienhuis
Druk Hooiberg, Epe

ISBN 90 5936 133 4 | NUR 302

EEN

Nu komen ze Jakob halen. Plotseling is het geknetter gestopt dat het dorp al de hele ochtend teisterde en van de ene helling over de daken werd teruggekaatst naar de andere, en de jongelui, met z'n drieën zijn ze, staan te wachten aan de kant van de weg, met glimmende rode helmen in hun gehandschoende vuisten, ze hebben zonder haast hun motorfietsen aan de kant gezet, waar ze zojuist nog mee af en aan reden, in onvermoeibare cirkels door de kniehoge sneeuw die door de achterwielen metershoog werd opgestoven, en almaar weer dezelfde trap, vijf treden omhoog, en aan de overkant in één keer van het bordes weer omlaag, zodat de veren met een piepend geluid diep doorzakten. Als meteen daarna de bus vertrekt, schommelend in de onregelmatige geulen van bevroren sneeuw die elk jaar rond deze tijd in de schaduw van de huizen ontstaan, wanneer hij voor het Fendhotel nog even halt

houdt en een groot pak inlaadt, op dat moment misschien, of is het toch pas wanneer hij de kerk al achter
zich heeft gelaten en over de natte weg het dal uit
glijdt, blauwglanzend in de zon, heeft de baas van het
Fend op de wandklok gekeken: het was vijf over elf. Uit
de winkel – *Kruidenierswaren* staat in afbladderende verf
boven de ingang – zijn twee mannen in een olijfgroen
skipak gekomen, met propvolle plastic tassen in hun
handen, en op hetzelfde moment is ergens in de verte
een hond beginnen te blaffen, eerst dreigend, en daarna onderdrukt, alsof hij wordt geslagen. Nu springt de
wijzer van de schoolklok verder, blijft lichtjes trillend
staan, precies elf uur, en de kinderen zetten hun stoelen in rijen, ze hebben in koor de meester goedendag-
gezegd, hun schooltassen gepakt en op hun rug gebonden, en ze duwen en stoten elkaar de klas uit naar
buiten, waar het kluwen snel uiteenvalt in kleine groepjes, die sneeuwballen gooien en naar alle kanten weg-
rennen. Het dorp weet allang dat ze komen, en al wie
tijd heeft staat bij het raam en kijkt vol spanning of er
iets gebeurt tussen de huizen of verderaf op de weg,
die glanzend zwart de talloze bochten van de besneeuwde hellingen volgt. Bij de eerste slag van de pendule
legt het oudje van de Rofenhoeve haar breiwerk neer
en zet haar bril af, bij de vierde komt ze moeizaam,
met stijve benen overeind, en als de klok voor de acht-
ste keer slaat, is ze uit het warnet van draden losgeko-
men en heeft een blauwgroen gestreepte hoofddoek
omgedaan, nu loopt ze schuifelend door de snikhete
kamer, en als de voordeur zwaar achter haar in het slot

6

valt, is de laatste slag al weggeëbd. En ze kan alleen nog maar vermoeid de auto nakijken die net langs het Kleonhotel rijdt, en er een vloek achteraan sturen, of een gebed.

Nu komen ze, zegt moeder, die sinds het ontbijt onrustig door de keuken heeft gedrenteld, in steeds dezelfde cirkels rond het koude fornuis met de grote – nog steeds lege – pannen erop, en af en toe naar een van de ramen, waar ze eventjes bleef staan, ook al was het nog veel te vroeg. Ze leunt tegen het aanrecht, in haar blauwe werkschort, met haar gezwachtelde benen in haar enkellaarsjes, en terwijl ze de zin uitspreekt, heel rustig ineens, verdwijnt van haar gezicht de spanning die haar mondhoeken deed trillen alsof ze zo zou gaan huilen, en de vermoeidheid is haar duidelijk aan te zien, de slapeloze nacht en de vele glazen rode wijn die ze Novak één voor één liet opwarmen en vermengen met water en suiker. Ze komen eraan, en nu staan we op van tafel – het ontbijt is steeds nog niet afgeruimd –, en gaan bij moeder staan, die met gestrekte arm zwijgend naar buiten wijst.

De auto nadert in volle vaart, is al voorbij de kerk, de bakkerij en het Kleonhotel, waar de mensen op hun balkon zitten zonder erop te letten, bereikt de stal daarachter, met de wegsijpelende plas bloed voor de poort, en mindert vaart in de versmalling voor het Posthotel, waar we hem even uit het oog verliezen. Hij komt weer tevoorschijn, heeft de laatste huizen aan de andere kant van het dorp achter zich gelaten, rijdt onder het afdakje waarover de kabels van de stoeltjeslift

gespannen zijn naar de brug, voorzichtig over de verraderlijk bevroren planken, en opeens rent er op gelij-
ke hoogte een hond mee die zich voor het Fendhotel
heeft losgerukt en onophoudelijk naar de wielen hapt,
en zijn geblaf is tot in de wijde omtrek te horen. Op
het zonneterras van Café Tirol kijken de bruingebrande gezichten om: ogen die achter donkere glazen
nieuwsgierig de auto volgen, hoe hij over het hobbelige wagenspoor rijdt, langs de twee mannen in hun
olijfgroene skipak, twintig, weldra dertig meter voor
de hond, die op een fluitsignaal blijft staan en langzaam terug begint te sjokken.

We gaan weg van het raam als de auto halt houdt
voor ons huis, alleen moeder blijft roerloos staan, nog
steeds in dezelfde houding tegen het aanrecht, steunend op haar handen en met beide voeten stevig op de
grond – klaar om zich te verdedigen, al overwonnen –
en kijkt hoe ze zonder haast uitstappen, hun uniform
rechttrekken en met zware passen de trap opkomen.
Nu klinkt het piepen van de veer, waardoor de voordeur in het slot getrokken wordt, de lichte slag die het
beëindigt – een vertrouwd geluid sinds onze kinderjaren –, en aan het kraken van de plankenvloer, die moeder nog altijd niet wil laten vernieuwen, horen we hoe
ze dichterbij komen, het gekraak van de huiskamerdeur, het gekraak van het restaurant, het gesteun van
het trappenhuis en de toiletten, langs het kantoortje,
nu al aan de kelderdeur, waar de planken vastgespijkerd zijn en geen geluid maken, en wanneer ze ter
hoogte van de voorraadkamer de plavuizen betreden,

kijken we elkaar aan, kijken we moeder aan die zich naar de deur heeft omgedraaid, kijken naar de keuken-klok, waarvan de wijzers achter het groezelige glas op halfelf zijn blijven staan.

Herinneringen. Maar wat verklaren ze als je geen dromer bent of niet lichtvaardig zoals het dorp, dat achter-af alles weet? Achter elk gordijn kan iemand staan die het hoofd schudt of zegt dat het moest gebeuren, ter-wijl hij toeziet hoe ze de trap naar ons huis opkomen. Of hij herinnert zich misschien het doffe geluid van de varkensbakken die van de wegrijdende tractor vielen, en het ingehouden gelach uit de een of andere verstop-plek als de troep op de grond lag: vleesresten, rijst, ge-plette aardappels, slabladen en oud brood, waaruit in dunne straaltjes de zurig riekende soep in de barsten van het asfalt liep en aan de achterwielen kleine plas-jes vormde; of de horde kinderen die bij het gerinkel van een brekende ruit wild over de verzamelplaats stoof, en de stilte die daarop volgde, of soms het gesis van overal, alsof het er honderden waren, en daarna was er één persoon, altijd dezelfde, die schoorvoetend terug kwam gelopen om de bal te vragen; of de ski's die ze met varkensvet hadden ingesmeerd, of mis-schien de dichtgetimmerde kerkdeur of de sneeuw-man waarvan het eeuwige licht, de brandende kaars, stijf uit zijn onderbuik stak.
Dat zijn verhalen, en we zouden kunnen vertellen, in de stilte van de keuken, waar we sinds de vroege ochtend aan tafel zitten, door moeder te hulp geroe-

pen, en almaar weer de oude, bij de een of andere gelegenheid gehoorde anekdotes ophalen, en niet weten
waar we moeten beginnen, radeloos, aangewezen op
alleen maar gissingen die makkelijk fout blijken te
zijn. We zeggen Jakob, bedoelen onze broer, en we zouden ergens kunnen beginnen, gewoon vertellen hoe
hij in één teug zijn kop cacao uitdronk of een restje liet
staan en haastig zijn boeken en schriften pakte, vertellen hoe we samen naar school liepen en hij huilend
achter ons aanholde als we een keer niet hadden ge-
wacht, en achteraf zijn beklag deed bij moeder of bij
vader, als die naar hem wilde luisteren; dan kon hij
spreken – maar onder vreemde mensen bracht hij
geen woord uit, hij moest in de klas twee of zelfs drie
keer worden aangemaand voor hij de belangrijkste steden van het laagland opsomde, de namen en de aantal-
len van een beroemde veldslag, of voor hij gewoon
maar zijn mond opendeed om iets te zeggen, en de
laatste week van het schooljaar, toen er voorgezongen
moest worden, sliep hij slecht en ontwaakte midden in
de nacht uit de ergste nachtmerries. Of hij er veel voor
deed? Hij was een goede leerling, werd telkens weer
als voorbeeld gesteld voor de anderen en met de gebruikelijke lofredes bedacht, alsof hij niet het meest
van allen blij was wanneer de leraar zei dat ze hun
schriften mochten sluiten en een verhaal vertelde, of
wanneer er brandhout gehakt of de kribbe voor Kerstmis in de kerk opgesteld moest worden, en hij sloofde
zich uit om de asemmer te mogen wegbrengen en
bleef soms een uur of langer buiten. In de winter zat

hij vaak in de huiskamer, aangetrokken door de geur van de natte skischoenen die onder de tegelkachel werden gezet om te drogen en plasjes vormden op de houten vloer. Hij las, of hij keek hoe Max en Siegfried kaart speelden, luisterde naar hun verhalen over meisjes op de skiles en stelde soms vragen waardoor ze elkaar geamuseerd aankeken – of hem – en plotseling hardop in de lach schoten omdat hij toch zo'n uilskuiken was. Dan lieten ze hem proeven van een glaasje wijn, en als ze hem konden knijpen of met een naald in zijn achterste prikken en hij vervolgens begon te krijsen als een speenvarken, kon hun lol niet op en zochten ze in hun broekzak naar een schilling, en daarvoor kreeg je in de winkel twee stukjes kauwgum of tien Stollwercksnoepjes of zo.

Daarmee zouden we kunnen beginnen, of we zouden eerst kunnen vertellen dat hij niet hoefde mee te helpen in het hotel, zelfs niet toen hij de leeftijd had bereikt waarop wij allang in de spoelkeuken stonden als er onverwacht veel eters waren, of flessen uit de kelder haalden en de lege terugbrachten. Vader sprak hem weldra vrij van elke plicht en stond hoofdschuddend achter de toog, zei geen woord of begon al te foeteren als Jakob zelfs maar bij hem in de buurt kwam; hij keek hem bij het kleinste werkje op de vingers en liet hem ten slotte zelfs dat niet meer uitvoeren, of het bevestigde hem in zijn oordeel wanneer hij een bord liet vallen, een kan melk omgooide of anderszins stuntelde – na verloop van tijd wellicht met opzet – tot hij hem ten slotte alleen nog maar linkerpoot noemde en niets meer liet doen, en ook moeder berispte wanneer ze zich ermee bemoeide, of die keer dat ze als troost een beker voor hem had gekocht die niet in de vitrine-kast paste en onwerkelijk groot leek naast de paar exemplaren die wij bij skiwedstrijden gewonnen had-den.

Op een bepaald tijdstip daarvoor of daarna, zo zouden we kunnen beginnen, die zomer toen we de vossenho-len ontdekten, was het weer altijd mooi, en ze brach-ten hele dagen buiten door, kropen onvermoeibaar in de smalle rotsspleten en zaten tijdens de warme uren in de schaduw tussen de reusachtige blokken die op elkaar lagen als uit een andere tijd. Hun spel werd steeds serieuzer, ze waren echte indianen en de verha-len die we elkaar vertelden waren echter dan het leven beneden in het dorp, dat wel duizend kilometer ver was en hun niets meer aanging met die gasten die on-vermoeibaar de ene berg na de andere beklommen. De uren in het bos bleven hun geheim, en we wisten dat we er nooit zouden over praten toen Hanna op een keer haar jurk losknoopte en ons in haar broekje liet voelen, tussen haar benen, waar niets zat, en we la-chen nu nog om Jakob, die vervolgens niet durfde en alleen maar toekeek toen ze hun broek uittrokken en naast elkaar in een grote boog over de rots stonden te plassen.

We herinneren ons dat er al vroeg over gepraat werd hem in de stad naar school te sturen, jaren daarvoor al, in de tussenseizoenen, wanneer men niet wist wat te zeggen en dankbaar was om elk onderwerp. De zaak was beslist nog voor Jakob ervan wist, en moeder en vader lagen met elkaar overhoop omdat ze van mening verschilden en konden na het middageten urenlang zitten redetwisten, als vader aan tafel bleef zitten en zelfvoldaan vond dat we het toch wel goed hadden, moeders tegenwerpingen negeerde en een totaalbeeld van de wereld schetste; of wanneer hij, als zij ten slotte begon op te sommen wie er allemaal had gestudeerd en iets bereikt had in het leven, altijd met dezelfde woorden reageerde: maar niemand uit het dorp; of hij leunde achterover en vertelde weer het verhaal van iemand die ooit, jaren geleden, naar de stad was ge- trokken en met Kerstmis al was teruggekeerd met zijn grote koffer en met een hele resem nullen, een niets- nut, en daarom had men hem ook weggestuurd. Dan kwam moeder weer aanzetten met de boeken die Ja- kob las, de hele bibliotheek, zei ze dan, en zo bleven ze hakketakken, eindeloos, zo leek het soms – tot midden in die herfst, toen de school begon.

Nog tijdens de zomer was de eerste sneeuw al in dikke vlokken nat op de weiden gevallen en bleef in- eengezakt liggen tussen de huizen en in schaduwrijke dalen, waar de zon niet bij kon. De laatste gasten wa- ren vertrokken en de hotels waren volop met de grote schoonmaak bezig: grote lakens die zwaar van het vocht de waslijnen naar beneden trokken, lichtblauw beddengoed dat naast rode lopers van de balkons af- hing, en boven het dorp was steeds weer het geroffel van de mattenkloppers te horen, ver weg over de beek en ineens weer dichtbij, als een repliek in een onvermoeibare wedstrijd. Als je door een raam naar binnen keek, kon je zien dat de tafellakens afgenomen en de stoelen in een hoek gezet waren, en aan de deuren stuurde een bordje de laatste bezoekers weg, zaak gesloten, in grote drukletters die, telkens opnieuw gebruikt en door de jaren helemaal vervaagd, allang definitief leken. Weldra zou overal met renovatiewerken begonnen worden, met onnodige aanbouwsels, zoals in elke herfst, en overdag was het lawaai van de bouwwerktuigen te horen, ingesloten in het smalle dal, tot 's avonds de stilte terugkeerde. De kaartspelers zaten in het enige café dat nog open was en dronken goedkope wijn uit kleine glaasjes, en in de lage keuken waren de ruiten beslagen en stond de oven roodgloeiend doordat de bazin almaar hout bleef bijleggen. De nachten werden langer, en over een paar weken zou de zon in haar baan niet meer boven de hoogste bergtoppen uitkomen en om twee uur al, kort na de middag, ondergaan.

Jakob liet zich in die periode nauwelijks zien, alleen tijdens de maaltijden waar hij zwijgend aan deelnam en op moeders overdreven spraakzaamheid reageerde met een duistere blik, of zich over zijn bord boog en niet eens opkeek, en nog voor het dessert weer weg was, boven of buiten, we wisten niet waar, in het bos of op zijn lievelingsplek, de rots, die ver in de stroming uitstak en de bedding van de beek tot een nauwe kloof versmalde. Bij het vallen van de duisternis slenterde hij door het dorp tot aan de kerk aan de ene kant, en aan de andere kant terug tot aan het laatste pension, waar de weg niet verder loopt, waar hij bleef staan, een tijdlang over het dal tuurde en opeens hardop tegen zichzelf begon te praten, het gaat goed met mij, dat het goed met hem ging, als een bezwering gericht tot de heldere herfstnacht.

Op de dag van zijn vertrek stond hij vroeg op en bleef de hele ochtend aan de keukentafel zitten, zei niet veel als iemand iets vroeg en was helemaal door zichzelf in beslag genomen, zo leek het. Hij ging niet meer naar het dorp, maar vroeg 's middags de sleutel van de badkamer, en binnen konden we heel lang horen hoe hij af en toe warm water liet bijlopen. Gekleed voor de reis kwam hij naar beneden en bleef tot 's avonds in de huiskamer zitten, bewegingloos op de bank naast de kachel, kijkend naar de regelmatig heen-en-weertikkende slinger in de pendule of naar het gestage voortbewegen van de brede wijzers – tot het hem duizelde. Hij draaide zich niet om wanneer iemand de deur opendeed, een poos naar binnen keek en hem bij het weggaan op een kier liet staan, die door de tocht op de gang almaar groter werd.

Later, toen het tijd was, ging hij naar de kamer van vader, die met zijn oude ziekte al dagenlang als opgebaard in bed lag. Van buitenaf konden we hun stemmen horen, in het sombere licht zien hoe hij een bankbiljet uit de trillende hand pakte en kortaf was tegen moeder die met een wijwatervinger een kruisje probeerde te maken, ergens in de lucht in plaats van op zijn voorhoofd. Een auto van een handelsreiziger zou hem naar de stad brengen, en het was al donker toen we voor het huis in de kou stonden en de wagen met een flinke vaart in de verte zagen verdwijnen, twee rode lichtjes die wat langer te zien waren op straat, daar in de nacht, en daarna was het donker.

In de stad had hij een kamer voor zich alleen. We herinneren ons zijn gejammer telkens als hij thuis zijn dakkamer moest ontruimen voor gasten en ergens anders moest gaan slapen, in de woonkamer of in de kelder bij de skileraren, waar hij in het holst van de nacht wakker gemaakt werd als ze vrolijk en meestal bezopen thuiskwamen. Zijn raam zag uit op het binnenplein, een reusachtig parkeerterrein vier verdiepingen lager dat tijdens het weekend meestal leeg was, met ernaast een tennisbaan die met draadgaas omheind was en aan de kloostermuur grensde, een grasveldje waar twee draagbare handbalkorven met rode en witte strepen stonden, soms in de meest onmogelijke opstelling ten opzichte van elkaar, en iets verderop een paar lage gebouwtjes waarvan 's nachts alleen nog een melkwit schild zichtbaar bleef: Politie, een opschrift dat pas zichtbaar werd als je dichterbij kwam. Het tweede bed was niet ingenomen, en onder de grijze deken stak aan beide uiteinden een stuk matras uit. Ik slaap alleen, schreef hij naar huis, en dat hij het niet erg vond, na school had hij alle ruimte voor zich en hij kon 's avonds het licht aanlaten en lezen tot zijn ogen pijn deden, en hij hoefde voor niemands nieuwsgierige blikken zijn handen onder de dekens te verstoppen.

De eerste dagen bracht hij door aan zijn bureau en keek naar buiten, waar niets te zien was behalve op het veldje soms een bende wildemannen die achter een bal aanholde, hard gillend in verschillende stemmen, waarvan er heel soms eentje afzonderlijk herkenbaar door de dubbele ruiten naar binnen drong. 's Nachts lag hij lang wakker, niet gedachteloos, maar veeleer met gedachten die, tegen de ochtend halfvergeten, in hun vaagheid bleven hangen; of op een keer stond hij midden in de nacht op en liep door het hele huis de donkere gangen af, rillend van de kou, en het leek alsof zijn blote voeten op de stenen vloer bij elke stap even bleven plakken.

Soms had hij graag gehad dat er iemand op zijn kamer was, maar als hij erover nadacht liep dat verlangen meteen stuk op de precieze voorstelling van wie dat ook maar kon zijn. En toen bleef er ineens niemand meer over en was hij blij alleen te zijn. Of hij er nooit over gepraat heeft? Het jaar daarvoor hadden ze tijdens de skiweek met z'n vieren een kamer gedeeld en ze hadden alleen maar over de meisjes gepraat die een verdieping lager sliepen – tot ze in warrige dromen wegzonken of bij het aanbreken van de dag gespannen wakker lagen, met hun glinsterende ogen wijd open, om toch maar niets te missen.

In de eetzaal bleef de stoel naast hem leeg. Hij wende eraan dat hij om te spelen altijd eerst op zoek moest naar een partner en er vaak geen vond, en toen hij vlak voor Kerstmis op weg naar de kerk alleen achter de dubbele rij aansjokte, maakte hij zich daar geen zorgen over. Hij lette erop dat hij 's ochtends op tijd het gebouw verliet of wachtte tot hij in de gang het lawaai van de deuren hoorde, de aldoor nerveuze stemmen en de haastige stappen naar de trap, zodat hij alleen naar school kon lopen, de eerste weken onzeker langs de tramsporen en geleidelijk aan via de kortste weg door de smalle steegjes van de oude stad. In de klas deed hij geen moeite om de taal van de anderen te spreken, de taal van de stedelingen, die hem je reinste aanstellerij leek; hij kon het gelach waarmee ze soms op zijn woorden reageerden goed verdragen, en het viel hem vast gewoon niet op dat ze hem kapittelden en hem verstootten in dezelfde mate als waarin hij zich terugtrok.

Ik maak het goed, schreef hij naar huis. In de koude herfstlucht liep hij vaak buiten de grenzen van de stad, wandelde naar het plateau in het zuiden, waar hij beneden in de verte door de walm van de uitlaatgassen heen de huizen kon zien, of hij zat gewoon op zijn kamer en keek hoe over de daken langzaam de duisternis inviel. In de weekends, wanneer de anderen naar huis gingen, gebeurde het dat hij alleen achterbleef, af en toe langs de rij kamers liep en bij de gesloten deuren achteloos op de klinken drukte. Vanaf de kloosterkerk was de klok van vijven te horen, en bij het politiestation gingen de lichten aan, het melkwitte schild in de schemering, met de vertrouwde letters die hij telkens opnieuw vanuit de verte bekeek.

De brieven schreef hij in het weekend, meestal op

zaterdagavond, wanneer de tijd verging alsof hij niet verging, niet meer dan een paar zinnen die nauwelijks met hem of met zijn leven in de stad te maken hadden, maar wel met ons en met wat er thuis wellicht gebeurde. Hij stelde nooit vragen, omdat hij de jaarlijkse gang van zaken in het dorp maar al te goed kende, hij ging er even voor zitten en wist wat er te gebeuren stond: het slechte weer zou sneeuw brengen, zoals dat altijd al geweest was, en het seizoen zou van start gaan, net als alle andere ervoor.

En de laatste brief?

'Voor Kerstmis,' zegt moeder, 'die dwaze zaak met die winkel, daarna heeft hij niets meer van zich laten horen.'

Er was niet veel voor nodig.

Je kende de verraderlijke spiegels waar je in het voorbijgaan een lange neus naar maakte, hun dode hoeken, je had de rekken allang afgezocht op gevaarlijke kijkspleten, wist ongevaarlijke klanten te onderscheiden van andere die elke geheimzinnigheid opmerkten en er was niet veel voor nodig, een klein beetje lef op het spannende moment dat je je adem inhield en drie repen chocola in je jaszak stopte, of beter in je broeksband, waar niemand je zou aanraken, en dan was je bijna buiten, enkel nog met een glimlach langs de kassa, en je tastte tussen je benen naar je keiharde mannelijkheid en voelde bij elke stap de verpakking zitten. Zo simpel was het dat niemand er niet minstens één keer aan had gedacht, iedereen leek het in die dagen te doen. Sommigen uit verveling, als tijdverdrijf, voor het beetje spanning dat alleen bleef bestaan door telkens grotere risico's, anderen gedreven door een veel concretere behoefte, hun onstilbare honger naar snoep; en de kleintjes deden het om hun steeds onzekere positie in de groep te versterken. Niemand had er moeite mee, en als iemand werd betrapt en met hangende schouders terugkwam van de directie, troepten de anderen zich om hem samen, bestookten hem met vragen, luisterden, en altijd waren er een paar die hem vol bewondering aankeken, als iemand die manhaftig de grootste gevaren getrotseerd had.

Wat wist moeder? Ze kende de afloop, maar niet wat erachter stak.

Je leerde snel, de wetten waren eenvoudig, en alleen omdat ze telkens veranderden, soms exact in hun tegendeel, moest je steeds op je hoede zijn of dat wat vandaag nog werd getolereerd, morgen niet als een misstap zou worden uitgelegd. Als je dat niet begreep, kwam onverwachts van bovenaf de bestraffende schop, en als die een keer uitbleef, trapte je met beide voeten naar onderen en spuide dubbel zoveel haat en alles kwam naar buiten. Een juiste houding bestond niet. Als je in ongenade gevallen was of een van de groten gewoon een kwade bui had, vaak zonder aanwijsbare reden, kon het minste tegen je gebruikt worden, de kleur van je sokken, of dat je op het verkeerde moment gelachen had of juist niet, en lieten ze je aantreden als voor een militair tribunaal, en gaven je een bastonnade, één twee drie klappen met het vlak van de liniaal op je blote voetzolen, en tussendoor met de scherpe kant steeds weer keihard op je achterhoofd.

Niemand wist hiervan, omdat Jakob nooit iets had verteld, niet in de weekends en ook niet achteraf, toen hij weer thuis was, en nog altijd weet niemand iets, die ochtend in de keuken, waar we al twee uur wachten en moeder voor de zoveelste keer vragen om te gaan zitten. Als ons vandaag iemand hun namen zou noemen, Jakob, zouden we niet begrijpen waarom je plotseling verstijft van schrik, en verbaasd vragen wat er is.

Natuurlijk heb ik me verzet. Hij sloeg om zich heen, schreeuwde, huilde, probeerde te ontsnappen uit de kamer waar het rook naar vuile was, hij liet zich bont en blauw slaan en bad, smeekte terwijl zijn neus bloedde, beloofde hun alles, de pakjes die moeder stuurde en het weinige geld; goed, drie dagen uitstel van executie, omdat hij kon betalen, en daarna ging het onverbiddelijk voort, achter gesloten deuren, en nu was er niets dat nog hielp, geen geschreeuw, geen beloftes, niets, ze zouden weleens zien of dat groentje zich bleef aanstellen, en uiteindelijk had hij betaald, de slagen, en al dat speeksel in zijn mond dat hem deed kokhalzen, een vreemde tong, en lang haar boven hem, een vet gezicht en een zoetige adem die de stank van oude sokken verdrong. Nou dan. Waarom niet meteen? Van toen af aan lieten ze hem zelf komen, en als het ware willoos liep hij de lange gang door, klopte op de deur en ging naar binnen, tweemaal, driemaal per dag, en pas wanneer hij weer buiten was kon hij huilen en rende hij de tuin in of draaide in het waslokaal alle kranen open en keek hoe het water gierend in de bekkens spoot. En hij dacht nergens aan, was gewoon alleen en begon te vergeten, veegde zijn mond niet af, bleef lang voor een van de spiegels staan, stak zijn vochtige tong ver uit of liet hem over het puntje van zijn neus glijden. Hij volgde hun bevelen op en probeerde door blinde gehoorzaamheid het ergste nog te vermijden toen het al te laat was, hij probeerde nog maar één keer zich te verzetten, één enkele keer in al die tijd, toen ze hem in het urinoir met afgestroopte broek vasthielden, hij sloeg met de wc-borstel op hun opdringerige handen, in hun lachende gezichten, en daarvoor kreeg hij een vreselijke afranseling, tot hij op de glibberige vloer in de urinegeur bleef liggen, en de bastonnade – tot meer dan duizend slagen – bleef dagen aan een stuk voortduren, één twee drie, hardop meetellen en na elke slag de bekentenis: ik ben een kleine viespeuk, toen hij allang geen duidelijk woord meer kon uitbrengen.

Hoe had hij erover kunnen praten? Had zij hem, moeder, heb je mij ooit de juiste woorden geleerd, of vader? Het zouden slechts bedekte toespelingen zijn geweest, dat ze hem nooit met rust lieten, algemeenheden die in hun abstractheid onschuldig en ongrijpbaar bleven, en jij, moeder, had je daar niets bij kunnen voorstellen, of niet meer dan de normale ruzies.

Hij probeerde zoveel mogelijk te ontsnappen naar de stad, spijbelde tijdens de studie-uren, bleef vaak de hele namiddag buiten, op straat of bij de promenade langs het water, en keerde laat terug, lang na het avondeten, sloop naar zijn kamer en deed zijn deur op slot.

Hij had lievelingspaden die hij telkens weer volgde, en slechts heel zelden liet hij zich van de wijs brengen, door een vreemdsoortig licht, door zachte muziek die achter gesloten ramen te horen was, hij liet zich naar onbekende steegjes lokken, en soms bleef hij minutenlang gefascineerd staan, hoorde de prachtigste symfonieën en zag heerlijke beelden, daar, bijna tastbaar, beeldschone meisjes met lange haren die teder over zijn wonden werden gelegd. Wanneer de winkels sloten, lagen de straten er verlaten bij en had hij de trottoirs in hun volle breedte voor zich. Soms liep hij dan kriskras door de kille stad, altijd langs andere wegen, door het toeval bepaald, tot hij buiten adem ergens bleef staan, soms op compleet onbekende plaatsen, en op een keer zag hij vanaf de plek waar hij stond de snelweg in de verte, het vloeien van de rode en witte lichten in het donker.

Dacht je er toen al aan, of wanneer kwam voor het eerst het idee bij hem op? vragen we ons af, en nu klinkt het piepen van de veer, waardoor de voordeur in het slot getrokken wordt, de lichte slag die het beëindigt – een vertrouwd geluid sinds onze kinderjaren –, en aan het kraken van de plankenvloer, die moeder nog altijd niet wil laten vernieuwen, horen we hoe ze dichterbij komen, het gekraak van de huiskamerdeur, het gekraak van het restaurant, het gesteun van het trappenhuis en de toiletten, langs het kantoortje, nu al aan de kelderdeur, waar de planken vastgespijkerd zijn en geen geluid maken, en wanneer ze ter hoogte van de voorraadkamer de plavuizen betreden, kijken we elkaar aan, kijken we moeder aan die zich naar de deur heeft omgedraaid, kijken we naar de keukenklok, waarvan de wijzers achter het groezelige glas op halfelf zijn blijven staan.

TWEE

'Ik weet het niet meer, het moet om een uur of drie, halfvier geweest zijn,' zegt moeder, en we horen de barst in haar stem, zien haar blikken onrustig over de keukentafel glijden, over de gootsteen, het koude fornuis, haar blikken die ineens als verstard stil houden en gericht zijn op de man die de vragen stelt.

Het was midden in de nacht, en ze wist vanaf het eerste moment, eerder nog, dat er iets niet pluis was, en ze dacht na, luisterde in het donker of er nog iets te horen was. Had iemand op haar ruit getikt of was het een droom geweest en zag ze dingen die er niet waren? Al wekenlang sliep ze slecht, ook al was ze soms doodmoe van het werk in de keuken, ze deed geen oog dicht, vaak zelfs niet voor een uurtje. Maar nu? Waar is de klok? Ze richtte zich op en keek naar buiten. Hoe armzalig leek het frêle licht van de winkel in de duisternis. De lichtgevende letters van het Fendhotel, de rode gloed waar ze op andere nachten onvermoeibaar naar kon kijken, hadden ze blijkbaar al uitgezet en de disco was gesloten. Zo laat al? En daar was het weer, overduidelijk nu, geklop op de deur, bedachtzaam, één, twee, drie slagen, nauwelijks hoorbaar en toch heel hard in de gehorige nacht.

'Ik ben opgestaan,' zegt moeder, ze kijkt naar de man die de vragen stelt, vervolgens naar de andere, en staart plotseling als verloren voor zich uit. In de onverwachte stilte zien we het nog een keer, vaag door het melkglas, hoe voor de deur het kleinere silhouet voor het grote komt te staan, we horen het geklop dat de ruit in zijn sponning doet trillen, en toen kwamen ze binnen, de assistent en daarna de inspecteur. En Novak buigt zich over zijn teil en begint als een razende aardappelen te schillen. Nu staan ze in het midden van de keuken, na enig gedraal bij de deur zijn ze met zware passen half om het fornuis heen gelopen, en alsof de tijd teruggedraaid is of op een nieuw begin gezet, horen we opnieuw de vragen, het onschuldige voorspel, door de assistent geënsceneerd, tot moeder vanzelf begint te spreken en de inspecteur haar ineens in de rede valt.

'Waarom heeft u niet eerder gebeld?' Ze antwoordt niet, haar blik is onverschillig op de muur gericht, op een van de ruiten, alsof ze genoeg heeft van een flauwe grap die al veel te lang duurt. Buiten heerst een drukte van belang. De werklieden zijn terug van de wegwerkzaamheden. De mannen stappen uit de groene jeep die voor het Fendhotel is gestopt, en terwijl ze voor

Café Tirol hun schoppen in de sneeuw steken en hun schoenen afkloppen, zet een kelner de deur wagenwijd open en nodigt hen uit naar binnen. Op het terras draaien de gasten zich om naar de enorme bulldozer die met een hels kabaal achter de disco tot stilstand komt, en ze kijken hoe de chauffeur tussen de manshoge wielen uit zijn cabine klautert. En nu verschijnt ook al de sneeuwfrees, het enorme voorstuk schommelt langzaam heen en weer wanneer hij over de bevroren geulen van de brug voortbeweegt, en op het asfalt is het geknerp van de rupsbanden te horen. Moeder huivert onmerkbaar, en wij weten waaraan ze denkt, we denken zelf aan het ongeluk van vorige winter, toen iemand tijdens het sneeuwruimen uitgegleden was en ogenblikkelijk door de roterende trommel aan stukken werd gereten. Op de muren van sneeuw was dagen later nog altijd het bloed te zien, en een paar weken geleden, op de dag van de verjaring, heeft de pater een wegkruis laten aanbrengen, ter nagedachtenis aan de man die op deze plek gestorven is; tot op de dag van vandaag weet niemand of hij onvoorzichtig is geweest of dronken.

Moeder richt zich ineens tot de inspecteur en kijkt hem een hele poos aan. Wat betekent die vraag? Eerder bellen? Na het warme weer van de afgelopen week was de straat afgesloten en werd bijna om het uur een nieuwe lawine aangekondigd. Ze ziet dat Novak af en toe een verstolen blik over de rand van de teil werpt en voor het eerst vandaag ontspant ze haar mond tot een glimlach. 'Ik deed de deur open...'

Daar stond hij dan, op zijn blote voeten, met zijn hemd half dichtgeknoopt, slordig in zijn broek, en in het licht dat van de kamer in de donkere gang viel, kon ze zien dat hij over zijn hele lichaam beefde.

'Eerst dacht ik van de kou.'

Tenslotte lagen de temperaturen 's nachts ook nog diep onder nul, maar zijn blik, zo had hij als kind gekeken wanneer hij huilend uit een nare droom ontwaakte en zij op de rand van zijn bed moest blijven zitten tot hij eindelijk weer zijn ogen sloot en in slaap viel. 'Is er iets, Jakob?' Uit haar stem sprak dezelfde bezorgdheid als vroeger, maar de sussende woorden waarmee ze hem in slaap had gewiegd, vond ze niet meer, het komt allemaal goed, Schmule, je zult het wel zien, en de herinnering aan dat koosnaampje dat ze allang vergeten waande, bracht haar van de wijs. Hij zei niets, en terwijl ze voelde hoe zijn klamme hand haar arm meetrok in de donkere gang, zag ze nog steeds dat kind voor zich, dat de woorden niet gezegd kreeg, alleen maar kon wijzen: naar de kapotgeschoten ruit en de geknakte ficus die erachter stond.

'Kom, moeder.'

Het gebeurde anders nooit dat een van de kinderen op haar deur klopte, vroeger niet, en nu, nu ze allang volwassen zijn al helemaal niet meer, en ze herinnerde zich in feite slechts één enkele keer, misschien wel achttien of twintig jaar geleden, maar de herinnering was dan ook des te duidelijker omdat het toen allemaal begonnen was.

'Ben jij het, Jakob?'

Hij had in de stad moeten zijn, op een normale schooldag en dan nog midden in de nacht, herinnerde ze zich, terwijl ze hem volgde door de donkere gang, waar onwerkelijk luid het getik van de pendule te horen was.

Het moet in die winter geweest zijn. In Januari was er geen sneeuw gevallen, de pistes zagen er gevlekt uit door de ontdooide plekken die onder de dunne laag sneeuw zichtbaar werden, en de gasten die dreigden te vertrekken werden gepaaid met de belofte van pakken verse sneeuw, en men wist niet met welke woorden nog te klagen over het slechte seizoen, omdat er geen meer voor waren. Begin februari begon het te sneeuwen, na de eerste dag en de eerste nacht was het dorp ingesloten, en af en toe was er een dof gerommel te horen, geruststellend ver weg, dieper in het dal. Door de aanhoudende sneeuwval kwam het snel dichterbij, en ineens was het er, midden in het dorp, samen met de eerste lawine, die een jong bos over de voor de veiligheid afgesloten pistes veegde, het kassahuisje bij het liftstation uit zijn fundering rukte en volledig verbrijzeld aan de voet van de helling liet neerkomen. Aan de andere kant van de beek moesten de bedreigde huizen ontruimd worden, en alleen de pater met zijn koppigheid van een zeventigjarige weigerde weg te gaan en sloot zich in op de tweede verdieping van de pastorie, waar hij dagen later verkleumd en half verhongerd via zijn raam werd bevrijd. Iets vergelijkbaars was er sinds mensenheugenis nog niet gebeurd. Op de allang ontboste hellingen braken de sneeuwmassa's, ze schoven en rolden onstuitbaar het dal in en stoven met een kolossale kracht over alles heen wat onbeschut of te dicht in de buurt stond. De mensen bleven binnen, en pas later, toen het weer rustig was, werd de schade opgemeten: de haast compleet vernielde benedenverdieping van de melkbar waar het één chaos was, de zware kerkdeur, die met lijstwerk en al uit de muur was gekomen, overal gebroken ruiten, in Karlingers stal waren drie schapen gestikt en de bouwvallige schuur van de Rofenhoeve was tot een hoop planken gereduceerd.

De eerste ochtend, toen in de algemene vreugde over de lang verwachte sneeuw nog niemand aan een ongeluk dacht, had hij de school wellicht de rug toegekeerd, in een opwelling of lang van tevoren gepland, dat kwamen we nooit te weten omdat hij niet veel vertelde; het was zijn bijgeloof, zei hij weleens, dat hij de hele weg te voet moest afleggen, van de stad tot aan zijn huis, en hij zei niet: opdat alles weer goed zou komen, en vertelde ook niet dat hij uiteindelijk toch een auto had aangehouden en al eerder zijn boekentas tegen de gevel van een huis had achtergelaten, samen met alle gedachten, alle herinneringen en alles waar hij niet over wilde spreken. De weg naar Fend was allang afgesloten en hij stapte in het donker om de slagboom heen en begaf zich op weg, liep de laatste paar kilometer te voet door de sneeuw, die al tot aan de knieën reikte en nog steeds in dikke vlokken uit de witte hemel naar beneden kwam. Het was zo stil dat

hij soms bleef staan om te luisteren – hij wilde het op
een lopen zetten toen hij boven zich een lawine hoorde, moest hij voorwaarts of terug, hij wist het niet, of
gewoon blijven staan, zijn adem inhouden en afwachten of ze niet ergens anders neer zou komen of een
nachtmerrie zou blijken te zijn, voorgetoverd door zijn
prikkelbare fantasie en zijn vermoeide zintuigen. Hij
dacht aan zijn vader en aan het verhaal dat hij bij elke
gelegenheid weer vertelde – dat ze in de oorlog een
man uit de sneeuw hadden bevrijd die nog leefde, en
dat hij opgesprongen was, wild om zich heen had geslagen en was weggerend, tot ze hem overmeesterd
hadden en tegen de grond geduwd, en nog lang daarna had hij waanzinnig of als een waanzinnige gebruld,
zodat ze hun handen op hun oren moesten houden,
en achteraf had hij gehuild als een klein kind – en de
angst sloeg hem om het hart, zoals men dat zegt, en in
de geluidloos vallende sneeuw daalde de akelige stilte
van de nacht over hem heen, en toch was dat geen be-
wijs dat hij de verkeerde beslissing had genomen of
dat hij er ook maar aan hoefde te twijfelen.

'Op de trap liet hij mijn arm los,' zegt moeder, en ze
kijkt de inspecteur aan.

Terwijl ze Jakob op de tast naar boven volgde, keer-
den haar gedachten weer terug naar toen: daar stond
hij dan, en ze wist meteen dat hij het meende toen hij
zei dat hij niet terug zou gaan naar de stad, nooit meer,
en als je mij dwingt, dan zou hij weglopen of zich van
kant maken. Dat moest als het begin worden gezien,
omdat hij van de ene dag op de andere was opgehou-

den met studeren en tegelijk eigenlijk met alles was opgehouden, en omdat hij inderdaad zijn leven, een beter leven uit handen had gegeven. Wat had ze moeten zeggen? Toen de straat weer vrijgemaakt was, een smal spoor tussen huizenhoge sneeuwmuren, had hij al meer dan een week de school verzuimd, en thuis was er werk zat met al die gasten, nu de winter eindelijk zijn intrede had gedaan.

Het was blijkbaar geen slecht moment geweest. In de algemene opwinding die het dorp nog dagenlang in de ban hield en geen enkele andere gedachte toeliet dan de sneeuw, die in hun hoofden onophoudelijk bleef vallen, werden de vragen hem bespaard, en later, toen de oude orde als een nieuwe leek te zijn hersteld, was iedereen al aan zijn aanwezigheid gewend en nog maar half zo nieuwsgierig. En zij? We piekerden erover, begrepen niet goed waarom hij de beslissing niet eerder had genomen, waarom niet al bij de begrafenis van vader, maar we spraken onze vermoedens niet uit, vroegen hem geen tweede keer om uitleg wanneer hij tegen ons begon te schreeuwen of ons zonder een woord liet staan.

De eerste weken zagen ze hem weinig. Urenlang kon hij zwijgend naast de kachel liggen en voor zich uit staren, of in zichzelf, wie zou het zeggen, met een ziekelijk rustige of soms ziekelijk onrustige blik, alsof hij gek was of hopeloos verliefd. Overdag ging hij soms naar buiten, struinde door het ondergesneeuwde bos, waar geen sporen te zien waren, of zat op zijn

lievelingsplek in de zon en keerde bij het invallen van
de duisternis terug, sloop naar zijn kamer en liet zich
niet meer zien tot de volgende ochtend bij het ontbijt.
Pas in de zomer trokken ze op een middag in een opwelling weer naar de vossenholen, en hij vertelde ons
dat hij in die periode telkens weer om de rotsblokken
heen liep, maar er nooit binnen durfde te gaan, uit
angst dat hij de herinnering aan hun kinderjaren en
aan alles kapot zou maken. Ze zaten om het vuur,
niets leek veranderd, alsof de tijd stil was blijven staan
in de muffige lucht, in hun adem van toen, ware het
niet dat de verhalen de bittere nasmaak van een valse
werkelijkheid kregen en als er niet onze ontdane blikken in de voorraadkamer waren geweest waar nog
steeds tientallen kratten lagen, in losse plankjes uit elkaar gehaald, waar men duizend pijlen van kon snijden om zijn hol te verdedigen tegen de wereld – of tegen zichzelf; maar wij wisten het beter, we waren niet
langer indianen die met roetzwarte gezichten in de
donkere hut neerhurkten, en we durfden Hanna niets
te vragen, ook al trilden onze handen alleen al bij de
herinnering, we keken haar alleen maar aan, zoals ze
daar op een steen zat en haar ene been over het andere
sloeg, onder haar rode jurk allang een jonge vrouw.

Maar dat was in de zomer, en het moet inderdaad
de eerste keer zijn geweest sinds Jakobs terugkeer dat
ze samen met hem iets ondernamen. Hij was al eerder
begonnen mee te helpen in het restaurant, bij de af-
was of in de keuken, hij snuffelde vaak uren rond in de
kelders, het liefst in de werkkelder, hij verwierf een ze-

kere handigheid in kleine reparaties, verving al eens een gebroken ruit, zette wiebelende stoelen weer vast of voorzag de vleesmessen van een nieuw heft. Hij werkte gewoonlijk in z'n eentje en trok zich uitermate schuw terug, vermeed onbekenden en kon er met geen stok toe bewogen worden voor de gasten koffers naar de kamer of wat dan ook naar de bomvolle eetzaal te brengen. Dat wisten we, en nog veel meer, en het was hun niet ontgaan dat hij zijn werk soms onderbrak en minutenlang in de onmogelijkste houdingen bleef staan, met een uitdrukking op zijn gezicht alsof hij zich heel hard iets probeerde te herinneren of de vreselijkste herinneringen probeerde weg te krijgen. En verder? Wat wisten ze nog meer? In het weekend sleurde hij enorme zakken afval een eind het dal in, naar de verborgen vuilnishoop, en op een keer dacht hij eraan hoe hij jaren eerder in een opwelling de asemmer boven het ravijn had laten vallen, en toen hij het vat langs de rotswand had zien kletteren en geluidloos, bijna verend in de zachte sneeuw zag neerkomen, was hij op de grond gaan zitten huilen, en was maar blijven huilen en huilen.

Langzamerhand verwierven zijn dagen zichtbaar die bepaalde regelmaat die ze zo moeilijk van elkaar te onderscheiden maakt, en gebeurde het steeds minder vaak dat hij ineens zijn werk liet liggen en jachtig naar buiten rende of zich urenlang in zijn zolderkamer opsloot. Ze hadden hem sinds zijn terugkeer nooit meer met een boek gezien. Hij moest al in de stad het lezen hebben opgegeven, goddank, zei moeder ooit, dat hij dan toch die spinsels en verzinsels eindelijk vaarwel had gezegd en een bruikbaar mens geworden was, en we lachten om de uitdrukking – een onvergeten bestanddeel uit vaders vocabulaire. En 's avonds? Hij ging af en toe uit, naar Café Tirol, waar hij de langgezochte vierde man was voor de kaarters, of naar de disco, waar hij in het flikkerende licht naar de ongelofelijk kronkelende lijven van de dansers stond te kijken. De dorpelingen hadden meer respect voor hem dan vroeger, nu hij niet langer de gestudeerde was, en de keren dat iemand hem nog voor het hoofd stootte of een nietsnut noemde, waren op de vingers van één hand te tellen; wie had hem iets te verwijten? Ze vertelden niets slechts over hem, en af en toe luisterden ze zelfs wanneer hij iets zei, korte opmerkingen die ineens werden afgebroken en het vermoeden nalieten dat er heel wat achter stak dat onuitgesproken of onuitspreekbaar bleef. Of hij zich goed voelde? Hij bleef soms tot sluitingstijd in de disco, en wanneer hij naar huis ging was moeder al op, ze maakte in de keuken het ontbijt klaar voor de gasten die vroeg wilden vertrekken, of rommelde zomaar wat in de lades omdat ze niet kon slapen. Zo stil mogelijk sloop hij dan door de gang, of hij was dronken en stak alle lichten in de hal aan en stommelde de trap op, verward in zichzelf pratend of hardop lachend om zijn onhandigheid, en zag moeder niet, met haar bezorgde blikken – of wilde haar niet zien. Of hij...? Wat een vraag.

Na verloop van weken, maanden en uiteindelijk jaren was het zijn leven geworden, een gewoonte, opgebouwd uit kleine gewoontes, enkele leuke en een heel stel nare, die men het best gewoon rustig kon verdragen.

Hij had er toch de leeftijd voor, hij was al vijftien toen hij uit de stad terugkeerde, in de vaste overtuiging het dorp nooit meer te verlaten. En zij? En wij? Maar over die dingen had nooit iemand gepraat, op school niet en thuis niet, en je begreep meteen na je eerste uitbrander, of vaak al eerder, dat er niets over te zeggen en niets over te vragen viel, en beslist niet wanneer de woorden brandden op je lippen en je begon te hakkelen omdat je het ongelofelijkste dacht te weten. Je voelde snel waar de grens lag, aan de ontwijkende woorden of aan de plotselinge stilte die je met dezelfde nieuwsgierigheid gewaarwerd als het steeds beter gekende geheim erachter. Wat had vader toch? Soms zette hij zo vastberaden de televisie uit dat ze zich een hele poos later nog steeds in de gaten gehouden voelden, niet meer durfden te kijken, maar ook hun blikken niet durfden af te wenden, of hij bleef er quasi-toevallig voor staan en begon in de lade te zoeken naar de tabletten die hij drie keer per dag moest innemen.

Je moest vindingrijk zijn, en we deden alsof we meer wisten dan in werkelijkheid het geval was, probeerden met gescherpte zintuigen het zachtste gefluister op te vangen, gluurden door de kleinste kier, in dat eeuwige gedoe van verstoppertje spelen dat de ene generatie de volgende had opgelegd. En Jakob? Hij luisterde urenlang naar de gesprekken van de grote men-

sen, tot hij ergens een stukje vond dat hij in zijn mo-
zaïek kon inpassen of toch minstens op het veiligste
plekje van zijn geheugen kon opslaan om het later op
de juiste plaats te zetten. En in de vossenholen? Er
moest iets wonderbaarlijks, iets onvoorstelbaars volgen, misschien een vreselijke straf, dacht hij, en later,
toen ze terugliepen door het bos, rook hij af en toe aan
zijn vingers en hij durfde Hanna's haar niet aan te ra-
ken, de kastanjebruine paardenstaart die voor zijn gezicht op en neer wipte. De stukjes begonnen in elkaar
te passen, en op een keer, moeder, viel je kamerjas
open, een heel heel klein beetje maar, en hij wilde het
niet geloven, moest er telkens weer naar kijken, en dagen later staarde hij haar nog steeds als een exotisch
wezen aan, en voor het eerst ook als vrouw. En zij? En
wij? Of wij ook in de kamer van de kok...? Op een goed
gekozen moment sloop hij naar binnen en bladerde
met trillende vingers in de boekjes, hij zat op het on-
opgemaakte bed met een hele stapel vuile was voor
zich en bladerde en keek zijn ogen uit, en lang voor
zijn terugkeer uit de stad of zelfs lang voor hij erheen
ging, wist hij alles al, op een leeftijd dat velen nog niets
wisten, of slechts heel vaag.

In de disco bekeek hij de anderen en herkende achter hun drukdoenerij en achter hun stoere taal de be-
klemmende sprakeloosheid, hun van kindsbeen bijgebracht. De alcohol inspireerde hen tot zinnen die niet
van henzelf kwamen, vreemde woorden, gekunsteld
Hoogduits, gebroken Engels, hij versoepelde de ver-
kramptheid die telkens weer van vader op zoon werd

doorgegeven en hield hen stevig in zijn losse greep, deed met hen waarvan zij dachten dat ze het zelf deden; en telkens weer vonden ze een meisje dat zelfs bij de baarlijkste onzin schaterde van het lachen en op hun avances inging, zich plat liet kussen of zich met de brutaalste woorden liet overhalen om plat gekust te worden en nog veel meer. Jakob bekeek de anderen, en soms kon hij er niet tegen, sloot zijn ogen bij de waanzinnigste voorstellingen of liep vol afschuw door het nachtelijke dorp, of hij dronk, maar de alcohol inspireerde hem tot niets, het maakte hem alleen maar pijnlijk scherp bewust van zichzelf, dubbel zo verkrampt en gehuld in een zwijgen dat definitief leek. En hij dacht dat hij het anders zou aanpakken, wist alleen niet hoe, maar wist wel: anders, met meer tederheid, dacht hij, en hoe kortzichtig de vrouwen waren, allemaal – en dom.

En toen.

En op een keer.

'Hoe heet je?'

Hij was zestien.

En zij?

'En jij?'

Hoe oud is ze?

Hij had haar lang zitten aanstaren, je keek me aan, zei ze later, alsof hij elk moment in huilen zou uitbarsten, of in een waanzinnige lachbui, ik wist het niet, en ze gingen samen een eindje wandelen, midden in de nacht, tot aan de kerk en weer terug tot aan de andere kant van het dorp, waar de steile hellingen het onmogelijk maakten in de dichtgesneeuwde nacht door te dringen. En nu? Ze stonden voor het pension tegen de garagepoort en hoorden zacht de muziek uit de disco. Zou ik? Zou ik haar kussen? Jakob wist het niet en plotseling voelde hij haar handen, plotseling: ademloos, met al zijn leden gestrekt, stijf en stram stond hij daar, hou op, dacht hij, hou op, en zei niets, en hij voelde al hoe het warm en nat werd tussen zijn benen. Hij durfde zichzelf niet te bekijken, het deed pijn, hij durfde haar niet aan te kijken, nergens durfde hij naar te kijken, noch zijn ogen te sluiten, en slechts de stemmen van een naderend paartje haalden hem uit zijn onbeweeglijkheid, en hij drukte zich stevig tegen het vreemde lichaam aan, haar geur leek van ver te komen, hij wilde er zich helemaal in verschuilen, van schaamte erin verdwijnen, en het liefst was hij op een andere plek geweest – of nergens. Achteraf lag hij wakker en keek hoe de langzaam vallende sneeuw geleidelijk aan zijn dakvenster toedekte.

Een hele tijd bestonden de enige vrouwen voor hem uit toeristen. Hij leerde ze kennen, in elk geval hun naam, nooit beter of goed genoeg om zich in die twee of drie weken geborgen te voelen, en daarna vertrokken ze weer naar een andere wereld, alsof ze er nooit waren geweest, ze eisten hun deel en lieten alleen maar een leegte achter, die telkens groter werd, ook al leek ze allang eindeloos te zijn. In zijn herinnering vervaagden de verschillen tot een herhaling van telkens weer hetzelfde, of ze leken niet echt, gewoon gekunsteld, en af en toe, wanneer hij er heel goed over nadacht, verschrompelde alles op hetzelfde moment, op het laatste moment, tot één enkel beeld: hoe hij op een koude winterochtend een wegrijdende auto nakijkt, en in zijn zak sloten zijn vingers zich om een foto, de begeerde trofee, of drukten tegen zijn weke geslacht. Verder viel er niet veel te vertellen, niets wat het vermelden waard was, en zeker geen bepaalde vrouw. Hij was met niemand van hen naar bed geweest en had met allen over de dood gepraat, in steeds dezelfde zinnen, dat het feit dat tot nu toe iedereen gestorven was niet bewees dat hij ook zou sterven, en vervolgens begon hij te lachen, kwam vaak niet meer bij van het lachen – omdat hij liever had willen huilen, om zichzelf en zijn grootheidswaan en om de dood. De wandelingen brachten hen steevast bij de kerk, en op het kerkhof toonde hij hun het graf van zijn vader of vertelde over het meisje dat alleen met haar minnaar een voldragen kind ter wereld had gebracht, zonder dat haar ouders, haar zussen en het hele dorp ervan afwisten, en dat ze het na de geboorte hadden doodgeslagen en daar, precies op die plek, begraven hadden. Het oude verhaal dat hij wellicht jaren geleden had gehoord of later in zijn eigenaardige gedachten – in elk geval gedeeltelijk – verzonnen had als een spannende episode. In de kerk stak hij gewoonlijk de kaarsen aan en begon over zichzelf te vertellen of hield zwijgend de hand van het onbekende meisje vast, en op een keer was hij in een opwelling achter het altaar gaan staan, maar de plek was leeg, er lag een dikke laag stof op het kistje waar wij als misdienaar de schedel hadden ontdekt, ons grote geheim, waar ze telkens weer en nooit genoeg naar konden kijken.

lief·de, de (v.), -s, -n (1291-1300 'genoegen, genegenheid, liefde') van lief + de: 1. warme genegenheid, gehechtheid aan een persoon of zaak: *de liefde tot zijn ouders; de liefde tot zijn land is ieder aangeboren; kinderlijke liefde; met alle liefde!*, gezegd bij het aanbieden van excuses: in alle oprechtheid; *de bloem der liefde*, de Afrikaanse lelie of blauwe tuberoos (*Agapanthus spec.*); 2. genegenheid van een man tot een vrouw of omgekeerd als zodanig: *oprechte, zuivere, zinnelijke, gestadige liefde; een liedje van liefde en dood; de liefde kan komen met trouwen;* (spr.) *de liefde kan niet van één kant komen; de liefde moet van twee kanten komen*, alle betrokkenen moeten hun best doen om een vriendschap, een relatie in stand te houden; (spr.) *van liefde rookt de schoorsteen niet*, wie trouwen wil, moet ook een gezin kunnen onderhouden; *iem. zijn liefde verklaren; een huwelijk uit liefde*, in tegenstelling tot een huwelijk dat uit verstandelijke overwegingen wordt gesloten; *van liefde branden; panden der liefde*, kinderen; *een kind der liefde*, een natuurlijk of onecht kind; *platonische liefde*, zuiver geestelijke liefde, zonder een zweem van zinnelijkheid; *vrije liefde*, het samenleven van man en vrouw buiten het huwelijk; *betaalde liefde*, seksuele omgang tegen betaling; *de liefde bedrijven*, seksuele omgang met elkaar hebben; (spr.) *de liefde is blind*, ziet geen gebreken of wil die niet zien; (ook) redeneert, overlegt niet; (spr.) *oude liefde roest niet*, de liefde die men iem. eerst heeft toegedragen, gaat nooit geheel verloren; (spr.) *de liefde van de man gaat door zijn maag* ; *zo iemand is een middel* (of *remedie*) *tegen de liefde,* die is erg lelijk; 3. gevoel van eerbied en welgezindheid i.v.m. de (christelijke) godsdienst: *de liefde tot God; doe het om de liefde Gods!,* de welgezindheid van de mens tegenover zijn naaste, syn. *caritas: de christelijke liefde; iets met de mantel der liefde bedekken*; 4. sterke, diepgaande neiging tot, belangstelling in een zaak: *liefde voor de kunst;* 5. voorwerp van liefde: *zij is zijn eerste liefde; haar grote liefde*; 6. (dicht., veroud.) Amor, de minnegod.

Hij kreeg het moeilijk over zijn lippen, maar toch dwong hij zich ertoe, telkens weer, vanuit een merkwaardige onzekerheid, ook al dacht hij vaak niet na over wat hij zei, al dacht hij vaak niets of juist het tegenovergestelde. Uit de brieven kwam het woord als iets onwezenlijks naar voren, als een indringer die zich in de zinnen had vastgezet en die ze besmette met een leugen en een schaamteloosheid die almaar groter werd. Omdat het in het dialect niet bestond, leek het geschreven woord op zichzelf te staan en niet bij de andere te horen; hij bekeek het verwonderd van alle kanten en had het liefst zijn vlakke hand onder de zwarte tekst geschoven, onder de inkt, om het los te maken van het papier waar het aan vast zat en het om te draaien, tot het geen enkel geheim meer had. En toch was het een woord als alle andere. Door zijn ogen en oren drong het binnen in zijn hoofd en nestelde zich lang en onuitgesproken in zijn mond, rolde soms met de punt van zijn tong van zijn gehemelte naar beneden of duwde lichtjes tegen zijn snijtanden, om de smaak te laten proeven, de zoete smaak, en slechts heel zelden kwam het tussen zijn tastende lippen terecht of ontsnapte aan hun omklemming en bevond zich ineens en betekenisloos in de ruimte, naakt als een skelet. Misschien was er een speciale mond voor nodig, die van een mooie vrouw, om het plechtig en met veel draagkracht te kunnen uitspreken.

Voor liefdesverklaringen was het dialect niet gemaakt, en hij leerde ze te uiten in de standaardtaal. Ingestudeerd klonken ze slecht en leugenachtig, in de vreemde zinnen vaak te groots voor wat hij wilde zeggen, ofwel juist veel te kleintjes. Met het Hoogduitse woord ging hij om als een nieuwe rijke met zijn geld, hij liet bij alle mogelijke gelegenheden blijken dat hij wist ermee om te gaan, maar kreeg het toch nog lang niet onder controle, het ontsnapte ongewild aan zijn mond of bleef ergens in zijn keel steken wanneer hij het nodig had; toen hij het eindelijk beheerste werd het algauw banaal en smakeloos, en zijn diepe betekenis verdween in oppervlakkigheid en in niets.

Later, toen hij een poos geloofde dat hij als enige de grote liefde had ontdekt, was hij kwaad op het woord, dat zich aandiende om de lege oppervlakkige avontuurtjes van de anderen onder woorden te brengen, en hij droomde van een nieuwe lettercombinatie, die niet te vinden was in de duizenden pagina's van het woordenboek en die teder via de lippen het oor binnenstroomde of het papier onder zich zachtjes deed trillen.

'Hij zei niets, gaf geen antwoord op mijn vragen, liep zwijgend voorop, en pas toen hij de zoldertrap bereikte, bleef hij staan.'

We kennen het verhaal, we hebben het al wel tien keer gehoord sinds vanochtend vroeg, en even vaak de plotselinge ontzetting in haar stem, alsof het slechts de woorden waren, zonder betekenis, wanneer ze onuitgesproken bleven. Ze kijken naar moeder, kijken naar de inspecteur en zijn assistent, naar het ongeduld op hun ernstige gezichten, en weer naar moeder, ze volgen haar blik die onverschillig naar buiten gericht is, en in een moment van plotselinge stilte, dat krachtig en voor iedereen zichtbaar aan de loop der tijd lijkt te zijn ontrukt, stellen we ons inderdaad voor dat de volgende zin beslist over de toekomst en veel meer nog, over datgene wat al gebeurd is.

'Hij maakte licht.'

In de halfschaduw viel haar weer op hoe zijn lichaam door het beven constant in beweging werd gehouden, en nu liet zich ook de onaangenaam zurige geur verklaren. Maar zijn ogen, zo had hij nog nooit gekeken, zelfs niet na twee dagen stappen, wanneer hij halfdood, zo ladderzat, naar huis kwam gekropen, de trap niet meer opkon en zich uren later, wanneer hij in de woonkamer langzaam weer tot zichzelf kwam, niets meer herinnerde. Ze zag de alcohol, jazeker, maar er was nog iets, iets wat haar pijn deed en haar angst vergrootte, een verlatenheid en een vreselijke leegte. Of dat de juiste woorden zijn? Iets, voelde ze ineens heel duidelijk, dat ze had moeten kunnen afwenden.

'Jakob.' Hij ging naar boven via de krakende houten trap, jaren geleden nog een kind, en ze had drie nachten geen oog dichtgedaan door zijn gekrijs en wist zich geen raad meer, behalve slaan, en ze had geslagen, tot alleen nog maar een zacht gekerm te horen was geweest – daarna niets meer. Onder het lage plafond moest hij zijn hoofd buigen. Ze zag dat hij voor zijn kamer even aarzelde, zag hoe hij hulpvragend naar haar omkeek, en toen ze dichterbij kwam zag ze weer dat kind, veertig graden koorts had het, het was een gevaarlijke longontsteking, zoals ze achteraf tot haar ontzetting te horen had gekregen.

'Hij deed de deur open, eerst op een kier, en keek voorzichtig naar binnen, en daarna in één ruk helemaal...'

'Moeder.'

45

DRIE

'En jullie?' De inspecteur kijkt ons aan, hij staat midden in de keuken, de assistent naast hem, en ze houden hun dienstpet nog steeds in de hand, lijken met hun getrainde blik de vraag een tweede keer te stellen, aan mijn broer en aan mij, en overrompeld staren we naar de tafel en weten niet wat te zeggen. Moeder is gaan zitten, vraagt Novak nog een glas wijn op te warmen, draait zich met haar rug naar de twee mannen en kijkt met lege ogen en nog steeds zonder te huilen naar buiten, alsof haar verklaring een volkomen onverschilligheid in haar heeft losgemaakt. Buiten komen gasten dichterbij, afzonderlijk of in groepjes, ze klossen onbeholpen over de brug, met hun ski's over hun schouders, ze komen naar de huizen toe, en het eten had allang klaar moeten zijn als we de middaggasten niet voor alle zekerheid over de andere hotels hadden verdeeld. Het terras van Café Tirol zit afgeladen vol, en af en toe komt gelach door de gesloten ramen naar binnen, of luide woorden.

'Ik heb hem na het avondeten in de melkbar gezien,' zegt de broer terwijl hij opkijkt.

Hij had afgerekend en wilde net vertrekken toen hij hem aan het eind van de lege toog zag staan, de fragiele figuur met zijn bleke, voor het eerst sinds weken geschoren gezicht dat naar hem leek te kijken.

'Hij moet mij al de hele tijd in de gaten hebben gehad.'

En nu deed hij alsof hij de groet niet opmerkte, spuwde een stukgekauwde tandenstoker uit, dronk haastig een slok wijn en voelde zich duidelijk niet op zijn gemak onder de strakke blik. Daarna staarde hij ineens in zijn glas, niet dronken, maar afwezig en misschien wel echt in een andere wereld, waar niets of niemand was, misschien niet eens hijzelf. Het moet om acht uur, halfnegen geweest zijn, nog vroeg op de avond, de meeste plaatsen waren nog onbezet, ergens zat een paartje op fluistertoon te praten, en de spelers in de kaartershoek maakten met veel kabaal troef of sloegen met hun vuist op tafel terwijl ze tegen elkaar opboden.

'Ik heb niets tegen hem gezegd.' De broer kijkt de inspecteur aan en begint met een vaste stem opnieuw: dat hij niet met hem gesproken heeft, geen woord, allang niet meer, en in feite nog nooit, met niemand, of wie voert er gesprekken in het dorp, wie gebruikt de taal voor meer dan de noodzakelijke banaliteiten? 'Hij zag er net zo uit als anders, er was niets opvallends aan hem,' en dat zei meer dan genoeg, voor wie er niet allang gewoon was, 'misschien alleen de rode trui, ooit gekregen van Hanna – dat hij die weer aanhad na al die jaren.'

Even is het rustig in de keuken, en in de stilte zien we beelden alsof ze na een diavoorstelling op de muur zijn achtergebleven. Novak, die naast de assistent aan het fornuis bezig is en zichtbaar zijn best doet om geen lawaai te maken, zet een dampend glas wijn voor moeder neer en begint de tafel af te ruimen. Uit Café Tirol komen de werkmannen naar buiten, ze nemen hun schoppen mee, en in de stilte is hun gelach, zijn hun woorden duidelijk te horen, luid en vrolijk door de vele borrels die hun zelfs nog worden voorgezet wanneer ze allang niet meer weten wat ze ermee aan moeten.

'Zijn trui was veel te groot, hij hing als een zak van zijn schouders af,' herinnerde ik mij, en dat zal inderdaad mijn eerste gedachte zijn geweest toen ik hem ineens in de kroeg zag staan: dat hij in zijn kleren gekrompen is in plaats van eruit gegroeid zoals de andere mensen.

Hij kwam niet vaak, ook al was het gewoon aan de overkant van de straat, en altijd met dezelfde vraag, die hij in dezelfde bewoordingen formuleerde, of ik niet een beetje geld kon missen, kleingeld, zei hij, want groot had hij zelf genoeg, en hij wachtte met een angstige blik het allang bekende antwoord af: waarom hij dat niet wisselde, of hij begon te lachen, keek mij met tranende ogen aan en wreef zich verheugd in de handen wanneer ik mijn portefeuille tevoorschijn haalde.

Soms hield hij het bij één glas wijn, dat hij haastig, maar toch in kleine slokjes leegdronk, hij zei nooit veel, praatte in het beste geval altijd over hetzelfde, over zaken die hem de laatste maanden erg bezig leken te houden, en staarde minutenlang voor zich uit, met die gelaatsuitdrukking die zijn tweede of zelfs zijn eigenlijke natuur leek te zijn, die op zijn minst veelbetekenend is en tegelijk zo leeg als iets. Het geld lag al die tijd onaangeroerd als een inleg tussen ons in op de tafel, en hij nam het pas mee toen hij wegging, en onvermijdelijk vroeg ik me telkens weer af wat voor spelletje dit was, en of hij zich werkelijk als een winnaar voelde wanneer hij haastig naar de deur liep.

'Die paar schillingen konden mij niet schelen,' zeg ik in gedachten verzonken en kijk mijn broer aan, 'maar wel dat ik niet wist of hij helemaal niets aanvoelde of er in werkelijkheid onder leed alsof het de schamelste aalmoes was.'

Er zijn geluiden te horen op de gang, zware voetstappen die de trap afkomen, die beneden een poos stilhouden en zich uiteindelijk verwijderen; we zien al hoe een man en na hem een vrouw naar buiten gaan, we zijn blij dat ze niets gemerkt hebben, dat ze niet volhardend voor het fornuis staan en vragen stellen en van alles willen weten – en zelfs nog meer. Moeder zit bewegingloos aan tafel, wat buiten gebeurt laat haar koud en ze schrikt niet op wanneer de sneeuwfrees zich onverwacht met heel wat kabaal in beweging zet. We kijken op de keukenklok, halfelf, en uiterlijk nu zou de tijd stil moeten blijven staan.

49

We zagen elkaar nog maar weinig, we waren ouder geworden, volwassen, en hadden onze plaats gevonden; mijn broer had het hotel van moeder overgenomen en baatte het uit samen met zijn vrouw, een van onze vrienden was getrouwd in het naburige dorp, en ik kreeg de leiding over de skischool en begon te bouwen aan de overkant van de straat. De gelegenheid deed zich niet vaak voor, ze zagen elkaar voor het laatst op de twee trouwpartijen, allebei in hetzelfde jaar, en ze hadden gepraat, herinneringen opgehaald, voelden zich beter dan wat ze zich herinnerden, ze waren iets, waren allang iets geworden, haalden lachend de oude verhalen op, staarden naar Hanna's diepe halsuitsnijding en dachten weer aan hetzelfde of stonden zichzelf niet toe eraan te denken. Jakob hield zich afzijdig en wist niet of het de gesprekken waren die hem tegenstonden of het voortdurende gelach waardoor ze elke betekenis verloren, hij wist alleen: daar staat Hanna, en dronk grote glazen schuimwijn, op beide feesten zo zat dat hij niet meer overeind kon blijven, laat staan een deftig figuur slaan.

Ze mochten gezien worden, maar de blikken die voor ons bestemd waren, vielen terloops ook op hem, merkten des te duidelijker zijn toestand op, die nog hetzelfde was als vroeger en toch weer helemaal anders, gezien de nieuwe achtergrond. Ze maakten vergelijkingen, afwegingen, wachtten tot ook hij zijn weg zou vinden, maar hoe meer de jaren verstreken, hoe kleiner de kans werd dat hij ooit zou veranderen of minstens de wil tot verandering zou opbrengen, en stilaan werd duidelijk dat hij nooit zijn weg zou vinden, en pas veel later begrepen ze dat hij hem al gevonden had, toen hij teruggekomen was uit de stad en voorgoed zijn doel had bereikt, het dorp. Op beide bruiloften antwoordde hij niet of slechts oppervlakkig op de onvermijdelijke vragen naar de toekomst, dat hij het niet wist, wel zou zien, en de nieuwsgierig aanmoedigende gezichten liet hij voor wat ze waren en keek ze later op de avond niet eens meer aan of kon ze niet meer aankijken. Wat kon hij zeggen? Zijn leven was niet veranderd, alleen hun kijk op zijn leven. Nog steeds zat hij hele dagen in de kelders, haalde de fruitkratten uit elkaar, legde het brandhout nauwkeurig op stapeltjes of vond wel iets dat hersteld, opgeknapt of overschilderd moest worden, en in de weekends bracht hij de vuilniszakken weg, bleef een hele poos buiten en zou nooit verteld hebben dat hij soms zomaar zat te lachen, zichzelf onnozele dingen toefluisterde en gelukkig was wanneer hij onder een boom zat of over de vuilnishoop heen naar de beek kon kijken. Op de zolder vond hij een oude trekharmonica, een log ding dat onder het stof in een hoek lag, en op de een of andere manier moet hij zichzelf de belangrijkste grepen bijgebracht hebben, 's avonds stond hij soms op het balkon en speelde, en neuriede erbij, of liep met zijn instrument naar buiten, en je kon bij het vallen van de duisternis de klanken horen vanaf een berghelling, zachtjes boven de daken van het dorp. Of hij nooit een doel, of toch ten minste bepaalde voorstellingen had gehad? In zijn kamer hing een foto van Hanna, een portret uit lang vervlogen tijden, en hij dacht veel aan haar, was blij wanneer ze na de twee seizoenen in het naburige dorp terug was, en hij trok zich van de geruchten niets aan, al werden ze blijkbaar bevestigd door haar nieuwe job in de disco. Hij had zijn eigen wereld, en het ging hem niet slecht, in elk geval niet zo slecht als anderen met onwrikbaar vaste ideeën over een geslaagd leven dachten.

Zeker, hij begon de veranderingen te voelen, eerst in het hotel, maar hij verzette zich ertegen en luisterde niet naar zijn schoonzus, al sprak het personeel haar nog zo onderdanig met mevrouw aan, hij liet zich al die jaren niets, niet één enkele keer iets gezegd worden en stond onverzettelijk op zijn oudere rechten, op zijn positie als zoon, terwijl hij allang gewoon maar de broer was, de gedulde schoonbroer – en hij bejegende de ingetrouwde vrouw als een bezoekster. Hoe dan ook er bestonden tussen haar en hem vanaf het begin alleen maar misverstanden, verscherpt door het feit dat geen van beiden moeite deed om ze uit de weg te ruimen. Jakob zorgde ervoor dat hij aan tafel zat wanneer zij in de late ochtend op haar pantoffels de keuken binnenkwam en klagend over hoofdpijn koffie liet zetten of eieren liet bakken die ze met beschuit en kamillethee naar haar bed liet brengen. Hij was de eerste weken constant in de buurt gebleven, had zitten toekijken hoe ze gekscheerde met zijn broer, uit een gemeenschappelijk bord at of het eten in haar mond liet stoppen, en later, toen dat eenmaal voorbij was, bleef hij spottend lachen wanneer ze met rood aangelopen gezicht achter het fornuis stond of een kuip vol natte lakens uit de waskeuken zeulde. Op een keer sloeg ze naar hem met de soeplepel, en hij zei, nog steeds grijnzend, dat ze zich flink misrekend had, dat ze met het werk in het hotel getrouwd was in plaats van een mooi leventje te leiden, en ze gaf een gil, sloeg nog eens en moest zijn hoofd hard geraakt hebben, ze kreeg een oorveeg, maar er was niemand anders in de keuken en ze verzweeg dit voorval wanneer ze bij haar broer ging klagen. Ze kende andere middelen om Jakob te treffen, liet de pijnlijke orde van de werkkelder veranderen terwijl hij van huis was, zocht hem op en bleef in zijn buurt staan rommelen wanneer hij alleen wilde zijn, of betrapte hem bij de drankkelder met een tweeliterfles wijn. Vanwege een kleinigheid had ze bedisseld dat hij niet meer met de familie aan tafel mocht zitten, net zo goed bij het personeel kon eten, met een paar handige zetten wist ze soms zelfs moeder voor zich te winnen en hield later onvermoeibaar de kinderen bij hem uit de buurt, met strenge verboden en door te dreigen met straf, zodat Jakob de kleintjes pas voor het eerst goed en wel te zien kreeg toen ze aan haar controle wisten te ontsnappen en met flonkerende ogen in de werkkelder stonden, de stopverf kneedden en wilden weten waar het waterpas voor diende en waarom een sergeant een sergeant heette en hoe je glas moest snijden en pijlen die in een hoge boog van de ene helling over de daken van het dorp naar de andere vlogen.

Hij werd skileraar. Ik kan niet zeggen waarom hij mijn voorstel heeft aangenomen, ik weet nog dat ik verrast was toen hij bij het begin van de week inderdaad kwam opdagen, met zijn veel te lange ski's op de verzamelplaats verscheen en zonder een woord, alsof hij er altijd al bij had gehoord, naast de anderen ging staan. Zo begon hij, en nu, jaren later, herinner ik het mij, zie ik alle beelden van toen door elkaar: gasten die naar mijn bureau komen om goeds of slechts over hem te zeggen, een lachend gezelschap in het vochtig dampende café, bitterkoude winterdagen, en ik zie hem, ik zie Jakob en denk aan de eerste uitbetaling, de onderdrukte vreugde waarmee hij zijn loon in ontvangst nam, zijn echt zelf verdiende geld. Gewoonlijk nam hij de groep beginnelingen, bleef met hen op de vlakke hellingen achter de kerk en lette erop dat niemand in de buurt was die hem zou kunnen gadeslaan of uitlachen, en het achteraf aan de anderen vertellen. Of hij zich goed voelde? Hij gaf zijn lessen, soms aan aanzienlijke groepen, en ik weet niet of ze hem ten onrechte mensenschuw hadden genoemd of waardoor hij ineens met vreemden om kon gaan of het in elk geval kon verdragen.

Bovendien wilden ze altijd maar meer dan hij hun gaf of kon geven. Bij het skiën ging het nog, ook al vond hij hun bezetenheid om altijd beter te worden algauw belachelijk, de eerzucht waarmee ze instructieboekjes raadpleegden en vragen stelden – of hun dalknie voldoende gebogen was en of ze het gewicht niet op het verkeerde been legden – en hij moest antwoorden, corrigeren en fouten verzinnen wanneer hij er geen meer kon vinden; maar daar bleef het niet bij, ze wilden alles weten, over hem, over anderen, of de dorpspraatjes klopten, en de verhalen van vroeger, en soms probeerden ze jammerlijk het dialect na te bootsen, gaven elkaar schouderklopjes, hoe goed het wel was, geweldig, vonden ze, geweldig, het gevoel te hebben dat je van hier bent, fantastisch, het gevoel erbij te horen, en iemand zei: Mij hoef je niets te vertellen, dat hij al in dit dal kwam toen jij nog een kleine bengel was en groen achter je oren of helemaal nog niet geboren. Vroeger had hij zich verstopt, was door de achterdeur naar buiten gerend, en dan kwamen ze de keuken in om de kinderen te leren kennen, hoe ze heetten en hoe oud ze waren, en wat ze nu deden en later wilden worden, en hij wist zich geen raad van schaamte, hield zijn oren dicht om niets te horen telkens als vader zijn rapport liet zien of de bekers die we bij skiwedstrijden gewonnen hadden. Hij zocht lang naar woorden voor wat hem dwarszat, en toen hij ze gevonden had, was het onbestemde gevoel al een zekerheid geworden, dat ze de mensen als een bezienswaardigheid zagen, als een vakantie-ervaring, onverenigbaar met wat ze kenden van thuis. En hij nam wraak, nam ze soms mee naar moeilijke hellingen, waar ze halsoverkop ten val kwamen, en hij lachte, kon zijn lach nauwelijks bedwingen wanneer ze verdwaasd weer overeind kwamen en hem onderdanig aankeken vanachter hun scheefgezakte bril. Soms vroeg hij zich af hoezeer hun vragen gemeend waren, of ze dit in het dorp al kenden en hoe-

lang al iets anders, tot hij aan hun gezicht kon zien dat
ze zich aan het eind van de wereld waanden of in elk
geval ver van het middelpunt of wat ze daarvoor hielden, en hij deed vaak zelfs geen poging om iets uit te
leggen, luisterde maar half of helemaal niet wanneer
ze zo enthousiast waren dat ze alles twee keer zeiden:
dat hij hen eens moest komen opzoeken, van de zomer
bij hen langs moest komen, en je zult zien, stel je voor,
ze zouden hem dingen tonen die hij zich zelfs niet kon
voorstellen, zelfs dat niet. Maar hij was niet onder de
indruk, wist dat ze nog maanden op de herinnering
zouden teren, slechts overeind gehouden werden door
het verlangen naar de volgende vakantie, niet gelukki-
ger maar ook niet droeviger waren in hun Ruhrgebieden, niet beter of slechter af dan de mensen hier. Hij
was niet jaloers op hun welstand, dacht aan vader, hoe
hij achter het fornuis kon staan vloeken als ze leiding-
water dronken bij het eten, of één flesje limonade met
z'n vieren, hoe hij niets dan minachting liet blijken
voor hun vakantie, die belachelijk en uitgespaard op
het leven inderdaad geen vakantie was; en toch, soms
begreep hij hun stuntelige gesnoef, zag het als een bui-
tensporige reactie op de toestanden bij hen thuis, alsof
ze er plotseling van bevrijd waren, en de juiste plek
daarvoor moest wel het dorp zijn, en niet een van de
grote skioorden, waarvoor ze te oud waren, te middel-
matig en niet chique genoeg.

's Avonds ging hij met hen uit en hij haatte zichzelf
dat hij nooit neen zei, alsof ze het heel normaal vonden dat hij hun ter beschikking stond: na het eten zou-

den ze in het hotel zijn, daarna in de melkbar of in Café Tirol, je komt toch ook, zonder zijn antwoord af te wachten dat bevestigend moest zijn en inbegrepen in de prijs die ze betaald hadden. Ze zaten dan om een grote tafel, fris gedoucht, gekamd en lachend van plezier, vroegen als kinderen of je schnaps in één teug moest opdrinken, of klonken met de glazen, wisten er al meer van af, vertelden hun leven en wilden dat van hem leren kennen, wilden dolgraag verbroederen en de hele avond en al dat geluk nooit meer vergeten. Met een schaamteloze oppervlakkigheid probeerden ze de mensen van het dorp na te bootsen en ze hadden niet door dat het allang niet meer juist was en dat iedereen verkocht was voor goedkoop geld. Of wij dat weten? Vaak zat Jakob zwijgend in hun midden of kraamde bewust onzin uit, waar ze meestal geen seconde aandacht aan besteedden, maar enthousiast bleven doorpraten. Hij moest echt volhardend zijn en ze konden hem niet geloven wanneer hij zijn bezwaren uitte, staarden hem ongelovig aan of kraamden dronkenmanspraat uit, en meer dan eens gebeurde het dat ze een arm om zijn schouders sloegen en heel dicht, veel te dicht bij zijn gezicht met een paar woorden alles weer goed probeerden te maken: toe nou, waar hij zich over opwond, we spreken toch allemaal Duits, en Jakob rook de alcohol en keek de man stilzwijgend aan, of de vrouw die al de hele avond vanaf de overkant met haar been tegen het zijne wreef en nu naar hem zat te kijken alsof ze niet meer te houden was en hem met huid en haar zou verslinden.

57

Vroeger had hij nooit gedacht dat hij niet in staat zou zijn zich te verweren en net zo hulpeloos als iedereen zou worden. Hij begreep de anderen niet en lachte hen uit of schudde zwijgend zijn hoofd om hun onderdanigheid. Hij zag vader, hoe hij de televisie haast onhoorbaar zacht zette omdat er gasten sliepen in de kamer daarboven, hoe hij ogenblikkelijk opsprong van het eten en ja zei, zo meteen, wanneer ze iets kwamen vragen, en daarna scheldend terugkeerde en maar doorging met schelden over hun onbeschoftheid. Toentertijd was hij getroffen door de leugen die hen voor vreemden deed doen wat ze nooit voor elkaar of voor zichzelf zouden doen, die zijn vader in zijn minachting ongeloofwaardig maakte, en op een dag had hij er met hem over proberen te praten, maar hij had alleen maar scherpe woorden geoogst en een onverhoedse woedeaanval en bijna nog een pak slaag, omdat hij bleef aandringen. Hij moest zelf ervaring opdoen om te begrijpen dat het allang niet meer om het geld ging en dat ze in feite gewoon niet anders konden, gevangen zaten in die houding die een deel van hun leven en deel van hun taal was geworden, waarin ze de Duitsers mensen noemden, alsof ze er zelf geen waren, en vervolgens de spot met hen dreven en hen piefke noemden of hun de vreselijkste scheldnamen gaven.

Hun grootvaders hadden de grootvaders van de gasten al gediend en met hen gelachen en roddelpraat verkocht, en nu was het erg laat, voor sommigen misschien al te laat, om eraan te ontkomen. Als kind waren ze weleens boos geworden wanneer ze dit of dat niet mochten, terwijl de vreemdelingen zich van alles en nog wat konden veroorloven, ze hadden met een hongerige blik achter de keukentafel gezeten wanneer reusachtige dienbladen met de heerlijkste gerechten naar het restaurant werden gebracht, maar ze waren eraan gewend geraakt, ze waren er snel aan gewend geraakt en zouden later hun eigen zonen op dezelfde manier paaien, zeggen dat ze het einde van het seizoen moesten afwachten en dat je het hooi moet inhalen, zolang het droog is. Ze vielen niet uit de hun toebedachte rol, niemand, ze moesten de gasten vermaken en animeren, animeerden vaak aan drie tafels tegelijk, animeerden alsof hun leven ervan afhing en animeerden zich te pletter. Maar daar praatten ze niet over, en wie weet er van de tranen en de wanhoop tijdens de lange herfstavonden, wanneer ze werkeloos in hun lege huizen zaten, kapot van de voorbije zomer en verzonken in gedachten die alleen om dagelijkse bezigheden draaiden of die leeg waren, of alweer bij de volgende winter, wanneer het leven verderging en hen naar buiten dreef en weer terugduwde in diezelfde eenzaamheid of in een nog grotere? Iedereen moest daar op zijn manier mee om leren gaan of ten minste verbergen dat hij er niet mee om kon gaan, en als iemand zich met twee flessen brandewijn in zijn kamer opsloot en in het holst van de nacht in de meest obscene taal zijn misère van het balkon schreeuwde, of als een ander allemaal beestjes zag en naar het zwaailicht van de ambulance begon te slaan, zeiden ze nog altijd niets, niets dat ter zake deed, zoals die keer dat Karlinger straalbezopen het adviesbureau had gebeld, geen woord, niets was te horen geweest, alleen het krijsen van een zaag, tot ze hem later op de middag hadden gevonden in de stal, waar hij met een touw om de nek van het dakgebint gesprongen was. De dood in.

Hij kreeg die rode trui voor een verjaardag, we weten het nog, en hij was zo blij als een kind, droeg hem elke dag, tot ze hem begonnen te plagen, en daarna alleen nog in het weekend – en toen nooit meer, toen het allang niemand meer interesseerde. Hij, de jongste, had de herinnering aan die zomer zorgvuldig gekoesterd, trok nog af en toe met zijn harmonica naar de vossenholen en hield hen niet bij toen ze op een leeftijd gekomen waren dat je de dingen vergeet of er alleen maar vol onbegrip aan terugdenkt. Op de roddels over Hanna reageerde hij niet en staarde de spreker die van ergens iets had opgevangen aan. Of hij zich goed voelde? Waarom nu die vraag? Op zondagen ging hij met haar skiën of ze zagen elkaar in een café, jullie herinneren het je nog, en hij kon haar nog steeds als vroeger zitten aanstaren. Ja, ze herinneren zich dat, Hanna was een mooie vrouw, wanneer ze met flonkerende ogen vertelde dat ze naar Frankrijk wilde, Jakob, je gelooft het niet, ik ben aan het sparen, naar Parijs gaat ze.

Hij wachtte vaak aan de toog tot ze midden in de nacht al het werk gedaan had, en bekeek haar in de bijna complete stilte, wanneer de bar al gesloten was. Hij hield van de gedachte dat iedereen in zijn huis lag te slapen, heel ver weg, en hij had uren kunnen zitten

kijken en luisteren, terwijl er niets te horen viel behalve het zachte gerinkel van de glazen die tegen elkaar
aantikten. Soms maakte Hanna een fles schuimwijn
open die ze in het schimmige duister zwijgend op-
dronken, of op een keer: ze wilde dansen en hij volgde
haar met soepele bewegingen over de plastieken dansvloer, ademloos en haast blind door haar nabijheid, en
plotseling bleef hij staan en keek alleen nog hoe ze
ronddraaide op de vrolijke muziek. Er leek geen mens
op de wereld te zijn in die nachten, wanneer ze naar
buiten gingen, onzichtbaar in het donkere dorp.

Soms liet ze zich uitnodigen voor het ontbijt en
keek hem vanaf de keukentafel aan, terwijl hij, dan-
send rond het fornuis, de grootste pannen op het vuur
zette en iets klaarmaakte, Hanna, wat je maar wilt, ze
hoefde het maar te zeggen, en opgewonden de wijn
uitschonk. Hij was een ander op die momenten, misschien eindelijk weer zichzelf, kon na een hele poos
zwijgen ineens uitgelaten zijn, lachen en domme grappen maken, net als vroeger, toen ze in het bos hadden
gespeeld en pas bij het invallen van de duisternis terug
waren gekeerd. Onderweg naar huis pakte ze zijn
hand, of hij liep vooruit, ging ineens midden op straat
liggen en schreeuwde in de nacht dat het goed met
hem ging, het gaat goed met mij, maar op een keer
boog ze zich naar hem toe en zag hoe de tranen geluidloos over zijn gezicht liepen. Hij wachtte voor haar
huis tot ze boven was en in haar kamer het licht aanging, en telkens als ze naar buiten keek verdween hij
onder het balkon. Hij nam zijn tijd om terug te lopen,

wandelde naar de kerk, keek door de beslagen ruiten naar de bakker die aan het werk was en vaak kon hij het niet laten en moest uit pure overmoed ineens weer de oude streken uithalen, voor de een of andere deur schepte hij een reusachtige hoop sneeuw die tegen de ochtend vastgevroren zou zijn, of hij haalde overal ski's tevoorschijn en legde ze zorgvuldig naast elkaar, in één lange rij van de ene kant tot aan de andere kant van het dorp. Alles leek mogelijk in die nachten, en op een keer klauterde hij inderdaad op de leuning van de brug en liep er met wijd uitgestrekte armen balancerend overheen.

Ja, hij voelde zich goed, maar Hanna was altijd afwijzend wanneer hij daarover of over de toekomst wilde praten, ze lachte hem toe en deed zijn twijfels verdwijnen – of maakte ze daarmee juist groter. Hij legde er zich bij neer en spaarde zijn woorden, stond op het balkon en riep ze niet in de duisternis, maar telkens weer in zichzelf, of fluisterde ze bijna onhoorbaar tegen de muur, wanneer hij later in bed lag. Hij legde er zich bij neer? Op een warme nacht, in de lente al, toen ze een heel eind de weg waren opgelopen, voorbij de tunnel, was hij er weer over begonnen en, voorbereid op hetzelfde antwoord als anders, had hij haar niet kunnen geloven en keek haar aan, zeg het, en keek naar de hemel, naar de kring om de volle maan die het volledige dal van links naar rechts opvulde.

In al die tijd nodigde ze hem één enkele keer uit op haar kamer, waar ze op het smalle bed zaten en enthousiast vertelden over vroeger en rode wijn dronken

uit de fles, hand in hand. Of ze zwegen, hun ogen gesloten of op de andere muur gericht, en het enige geluid was het getik van de wekker, dubbel zo luid in de
stilte, als je er aandacht aan besteedde. Hij keek toe
hoe ze zich uitkleedde en onder de dekens gleed, en
raakte haar aan, haar gezicht, haar borst en tussen haar
benen, hoe ze haar bekken bewoog onder zijn aanra-
king en kreunde en haar gekreun in het kussen ver-
stikte. Ze was in slaap gevallen toen hij wegging, boven het dorp begon het te dagen, op straat lag een laag
verse sneeuw en hij liep langzaam naar de brug toe,
achterwaarts, zodat niemand zijn sporen zou kunnen
volgen of toch misleid zou worden, en hij dacht vrolijk
opgewonden aan de fles wijn die hij zou openmaken
en misschien zou opdrinken als hij thuiskwam.

Nu hoorde mijn broer het ook, beneden in de gang, gelach, gefluisterde woorden die half verloren gingen
door het gekraak van de plankenvloer, ineens een
bons, en meteen stilte, één – nog geen seconde; daarna hardop gevloek en alweer gelach, woorden, alweer
die stem, Jakobs stem, pratend met zichzelf of met iemand anders, misschien met de duisternis, en gelach,
voetstappen, sloffend, naar de trap toe, en al het gekraak van het trappenhuis, een ogenblik lang het enige
geluid in de nacht. Hij keek in het donker naar de plek
waar het gezicht van zijn vrouw moest liggen, keek
haar met slaperige ogen aan, kon langzamerhand haar
contouren onderscheiden. Maar daarom had ze hem
toch niet... op dit uur, klokslag twee op de zacht zoe-

mende wekker. Ze moest er nu toch allang aan gewend zijn of na al die jaren tenminste weten dat hij
niet zou optreden, niet meer, en dat hij van die ene
keer juist spijt had, dat hij niet was vergeten hoe Jakob
zijn wijsvinger op zijn lippen had gelegd, pssst, en gelachen had, zijn schoenen had uitgetrokken en wagge-
lend dichterbij was gekomen, hem omhelsd had en
hem met een beschonken adem warrige praat in het
oor had gefluisterd.

'Ik heb niets gehoord,' waarom iets zeggen? Mijn
broer kijkt de inspecteur aan die tussen het fornuis en
het aanrecht op en neer is gaan lopen, en nu blijft
staan, met zijn handen in zijn zakken.

Hij kon de slaap niet meer vatten, lag een hele poos
op zijn rug met zijn ogen wijd open, en ineens hoorde
hij weer stappen, de trap af, het gesteun van het trappenhuis, en langzaam dichterbij komend, voorbij het
restaurant, het gekraak van de huiskamerdeur, en dan
iemand die klopt, zachtjes, één keer, twee keer, drie
keer, en moeders stem, dan weer Jakob, gedempt, en
alweer stappen, gekraak, terug naar de trap, het gesteun van de hal dubbel zo hard in zijn oren nu hij
klaarwakker is. In de stilte die daarop volgde, hoorde
hij de gelijkmatige ademhaling van zijn vrouw en hij
bekeek haar, bekeek haar een hele tijd terwijl ze naast
hem in het donker lag te slapen. Wat hij zich verder
nog herinnert? De wekker op het nachtkastje stond op
halfvier, en bij de gedachte hoe laat het zou zijn, moest
hij vergeten zijn hoe laat het was en waaraan hij dacht,
en ingeslapen zijn.

'Niets.' Mijn broer heft in een gebaar van spijt zijn handen op en legt ze met de vuisten in elkaar onder zijn kin, zijn ellebogen steunend op de tafel. 'Viz en Valentin, misschien weten zij meer.'

Ze zaten in de melkbar, probeerden hem tegen te houden toen hij wegging, hem te overreden, één spelletje kaart, en bleven aandringen tot hij toegaf of toch ten minste een borrel met hen dronk.

Buiten horen we het geronk van een auto die dichterbij komt, steeds harder, tot hij met een loeiend geluid abrupt stilvalt. Een hond rukt zich los voor het Fendhotel en rent er luid blaffend achteraan, en blijft op een fluitsignaal meteen staan en begint langzaam terug te sjokken, met gespreide achterpoten. Er komt een meisje uit de winkel, ze loopt een eindje verder en blijft dan staan om in alle rust haar aankopen te bekijken.

'Viz en Valentin,' of men die kan laten komen?

VIER

'Je kent hem toch.' Viz kijkt ons aan, kijkt de assistent en de inspecteur aan, en leunt naar achteren op het aanrecht, wacht even voor hij verder vertelt. In de stilte is het slaan van het middaguur te horen, als van heel ver, twaalf, en weer kijken we op de keukenklok, waarvan de kleine wijzer nog onveranderd voor de grote staat, achter het vettige glas, en nu kijkt Valentin naar zijn pols: al tien over. In de glazen deur van de winkel verschijnt de verkoopster, nieuwsgierig speurt ze links en rechts de straat af en draait de sleutel twee keer om in het slot. Op het terras van Café Tirol begint iemand gitaar te spelen, in de keuken nauwelijks hoorbaar, en de gasten strekken zich even in zijn richting en zinken terug in hun gesoes, hun gelach of hun geklets over koetjes en kalfjes.

'Hij leek spraakzamer dan anders,' gaat Viz door. Na het laatste spelletje waren ze bij hem aan de toog gaan zitten, en hij vertelde, vol verbittering over het dorp, en keek hen vragend aan. Vroeger al had hij elke gelegenheid te baat genomen om zijn verhaal te doen, en bij voorkeur als niemand het wilde horen, maar nooit zo drammerig dat het elk ander gesprek onmogelijk maakte. Wellicht kwam het door de cafébaas met zijn eeuwige geklaag over de seizoenen die al maar slechter werden, wat Jakob belachelijk vond. Je kon toch alleen maar blij zijn in plaats van te zitten jammeren als je met dat tuig niets te maken had? En toen was hij al helemaal op dreef en niet meer te stoppen – tot hij vanzelf zweeg en een slok nam van zijn boordevolle glas wijn; of hij begon plotseling te lachen om een bepaald woord, om een betekenis, en leek zich ingespannen te herinneren wat er nog meer achter schuil ging. Ze hadden een tijdje niet naar hem geluisterd toen hij ineens als een waanzinnige tekeerging: wie kan betalen, mag meebepalen, telkens weer die ene zin, en het bleef onduidelijk of hij degene bedoelde die zijn wijn had betaald of iedereen, of iemand die jaren geleden tijdens een vergadering was opgesprongen en met precies dezelfde woorden en dat smerige geld erachteraan voor eens en altijd zijn gewicht in de schaal had willen leggen. Pas toen de cafébaas begon te dreigen verstomde hij, verlegen lachend, en zei het nog een laatste keer, haast onhoorbaar: wie kan betalen, mag meebepalen. En tegen zichzelf: geld zoekt geld, de bekende spreuk, het antwoord van een welgestelde vader die een bruidegom zoekt voor zijn dochter. Daarna zat hij lang zwijgend aan het eind van de toog, met om zijn mond een spottende grijns, en hij hoorde niet hoe iemand wijn bestelde en vroeg of er wat te beleven viel in het dorp, hoe de vrouwen waren en of je met hen in contact kon komen.

'Het moet de eerste keer in maanden zijn geweest dat hij 's avonds wegging,' zegt Valentin en gaat verzitten op de rand van het fornuis, zijn blik peinzend op de plavuizen gericht.

Hij had in elk café zijn favoriete plek, gewoonlijk aan het eind van de toog of weggedoken achter de koffiemachine, waar hij uren, soms hele nachten kon zitten alsof hij even langskwam voor een glas en er meteen weer vandoor zou gaan. Het was geen verrassing hem terug te zien, integendeel, ze hadden hem bijna dagelijks verwacht en soms stelden ze zich hem voor bij de lang leeg gebleven barkrukken alsof hij er bijhoorde, met een glas in zijn hand, hardop lachend of zwijgend voor zich uit starend.

Valentin kijkt ons aan, maar hoeveel wisten jullie al en hoe weinig hadden jullie de laatste jaren gehoord? Was het onze schuld? Ze kijken naar buiten waar mevrouw Gritsch verschijnt op de ijsribbels tussen de huizen en met voorzichtige pasjes dichterbij komt, voorbij de winkel, recht op de trap af. Over de brug rennen twee kinderen, aan de riem die ze samen vasthouden hobbelt een slee, meer in de lucht dan op straat. Al over twaalven. Nu staat moeder van tafel op, gaat zwijgend naar de gootsteen en draait de kraan helemaal open, houdt haar vingers lang onder het warme water dat hard in de lege metalen bak klettert. De inspecteur is opgehouden met ijsberen en staat afwachtend, met zijn armen gekruist, tegen het fornuis naast zijn assistent.

'Ineens kwam hij tot bedaren,' zegt Valentin.

Waarschijnlijk was hij in slaap gevallen, zijn hoofd lag zwaar op de toog, en ze waren opgelucht, eindelijk rust, en merkten hem pas weer op toen zijn glas op de grond viel en hij overeind veerde, onverstaanbaar excuses prevelend, of misschien vloeken, en prompt een nieuw glas wijn bestelde. Hij stond op, keek even beduusd over de toog, begon ineens hard te lachen en liet zich zonder een woord weer op zijn kruk vallen, bracht op iedereen een toost uit en nam een slok. Daarna bleef hij een hele tijd roerloos zitten en zei uiteindelijk zachtjes: wie niets heeft, die heeft niet veel, of zo'n soort spreuk, en keek hen over de rand van zijn glas dronken aan.

Valentin neemt een pauze, en nu klinkt het piepen van de veer, waardoor de voordeur in het slot getrokken wordt, de lichte slag die het beëindigt – een vertrouwd geluid sinds onze kinderjaren –, en het gekraak van de plankenvloer die moeder nog steeds niet wil laten vernieuwen verraadt de naderende passen, het gekraak van de huiskamerdeur, het gekraak van het restaurant, het gesteun van het trappenhuis en de toiletten, langs het kantoortje, nu al aan de kelderdeur waar de planken vastgespijkerd zijn en geen lawaai maken, en wanneer ze ter hoogte van de voorraadkamer op de plavuizen te horen zijn, kijken we elkaar aan, kijken de inspecteur aan, kijken moeder aan die zich bij de

gootsteen heeft omgedraaid en het geklop meteen be-
antwoordt; mevrouw Gritsch – ze had ervan gehoord
en dacht wie weet, kon in elk geval maar beter – ze
komt binnen, gaat naast Viz op het aanrecht zitten en
praat en praat zonder ook maar één zin af te maken.

Hij zat altijd over hetzelfde te piekeren wanneer hij
's nachts tussen de huizen slenterde of op een zomerse dag een heel eind het bos in trok en vanaf een heuvel keek over de daken die beneden in de verte al in de
schaduw lagen. Hij hield van de uren waarop hij de
straat voor zich had, of vanaf zijn uitkijkplaats het hele
dorp, zo ver weg dat hij niemand meer kon zien, of
slechts onwerkelijk klein en makkelijk weg te denken;
maar daar sprak hij bijna nooit over, tenzij hij zo dronken was dat hij niets samenhangends meer uitbracht
of door niemand ernstig genomen werd en hopeloos
verstrikt raakte in spreuken die hij ooit van iemand
had opgevangen.

Het begon onschuldig, vaak met dezelfde wijsheid
waarvan hij de betekenis als kind al had geleerd in zinnen als: je moet het hooi binnenhalen als het droog is,
en de koe melken zolang ze melk geeft. En hij geloofde erin, bauwde ze na met zijn ogen dicht en besefte
pas later dat het geen verschil maakte en dat iedereen
in de herfst net zo goed voor zijn televisie zat of zijn ellende verdronk. Niemand leek zich af te vragen waarom dat zo was, of wat hij met het geld kon doen, het
was het hebben op zich, bij voorkeur knisterende bil-
jetten in hun hand, geen dode getallen in een of ander

boek, en vaak toonden de zuiplappen elkaar hun briefjes en legden ze in lange rijen uit, om nog maar te zwijgen over de hotelmagnaat, die de weddenschap om een kilo duizendjes niet vergeten was – hoeveel dat er ook waren. Het had allang zijn neerslag gevonden in hun taal, in de beelden die ze gebruikten, en als ze zelden, het hoof van de stenen, een meisje uit de bergen en vlees van de knoken, in hun dialect een zuiver rijm, geloofden ze er zelf niet in of dachten met glanzende ogen aan de goeie ouwe tijd, waarvan ze wisten, of wisten ze het niet, dat die niet bestond, nooit bestaan heeft en dat de mensen altijd al graag het onderste uit de kan hebben gewild en liever nog gewoonweg alles?

Hij probeerde zich dan vaak het leven in de huizen voor te stellen, dacht na over steeds terugkerende dagelijkse bezigheden en over alle mogelijke dingen, en toch weer niet over alles, omdat hij zich nooit kon voorstellen dat een vrouw haar benen spreidde of met een man naar bed ging, zelfs als er kinderen waren en hij er zelf ooit, jaren geleden, een was geweest. Er gebeurden dingen waarover gefluisterd werd, maar het liet hem koud dat de bakker soms naar het Posthotel sloop of de leraar naar het Kleon of naar nog een andere plek in het dorp, waar al eeuwenlang iedereen met elkaar trouwde en waar een meisje dat voor haar blindedarm naar het ziekenhuis was gebracht acht dagen later terugkeerde, bevallen van een gezonde jongen. Gewoonlijk haalde hij sowieso alles door elkaar, en wist in de complexe verwantschapsrelaties niet wie wat van wie was, en prees de jaren voor de oorlog, toen alle kinderen nog één gemeenschappelijke grootmoeder hadden. Eén enkel verhaal herinnerde hij zich heel precies, en telkens als hij voorbij de biljarttafel kwam, schoot het hem te binnen dat de baas van het Fend er zijn barmeisje met geweld overheen zou hebben gelegd, en op een keer rook hij aan het laken en keek af en toe om alsof hij iets deed wat verboden was, terwijl hij met zijn keu een stoot uitvoerde waardoor de ballen uit elkaar stoven en als geëlektriseerd van de banden terugkaatsten en langzaam, heel langzaam tot stilstand kwamen. Hij had nooit met Hanna geslapen en had het haar – of iemand anders – ook nooit durven vragen, de gedachte alleen al bracht hem in de war, zoals die keer dat hij 's nachts achter een felverlicht raam een naakte vrouw had gezien en in het midden van de straat was blijven staan en de volgende ochtend alle pistes afzocht, maar het kon niemand zijn, of iedereen, ingepakt in dikke skipakken, en hij had niet eens geweten wat en of hij iets zou doen of zeggen, en had de gebeurtenis als een droom in zijn herinnering bewaard.

Het liefst hield hij zijn gedachten daar tegen en piekerde en wilde weten of hij nu al dan niet helemaal gestopt was met denken, wanneer hij 's nachts ergens langs de weg of tijdens een onverwacht zomers onweer op de heuvel boven het dorp terechtgekomen was. Je keek neer op jezelf en hij wist niet of hij erbij hoorde, of er ook maar bij wilde horen, en hoe de anderen erover dachten of wat ze zeiden, als iemand het zou vragen. Bij vele gelegenheden had hij ze eensgezind horen verklaren of roepen en telkens weer herhalen dat er maar één weg bestond, hun weg is de enige, en van buitenaf, vanuit het dal, was nog nooit iets goeds gekomen. Ons kent ons was de bijhorende spreuk waarmee ze hun besloten kringetje afbakenden, en het belang van erbij te horen, zodat een vreemdeling geen enkele kans kreeg, telkens opnieuw moest proberen, zodat zijn eerste mislukking zelfs na een hele reeks successen dan toch weer typisch en makkelijk te voorzien was geweest.

Jakob wist soms niet goed of ze werkelijk meenden wat ze zeiden of gewoon principieel al het nieuwe afwezen om toch niet in contact te hoeven komen met een andere wereld die misschien hun eigen wereld als enig mogelijke onmogelijk zou maken en hen in het niemandsland zou doen terechtkomen; en toch sprak hij hen nooit tegen – ze zouden hem toch niet serieus hebben genomen, net als iedereen die het niet met hen eens was – en gaf hun in het begin meestal zelfs gelijk, omdat hij niet beter wist, en later, hij wist niet waarom, zei hij heel soms iets helemaal anders of iets onnozels, waarna ze even zwegen en in de lach schoten, of zeiden dat je die mafkees zijn gang moest laten gaan en dat je je niets hoefde aan te trekken van wat hij zei of deed.

Wanneer hij in de zomer het huis verliet, werd hij soms door een hele zwerm kinderen gevolgd, of ze zaten op omgekeerde kratten samengepakt in de werkkelder en keken zwijgend toe hoe onder zijn handen een lijst tot stand kwam of een of ander voorwerp, iets waarvan ze niet wisten wat het was. Op een keer nam hij ze mee naar de vossenholen, hij sneed de beste pijlen, had aan de rand van het bos de hut helpen bouwen en de blaam voor de gestolen planken op zich genomen, hij hurkte bij de inwijding tussen hen in op de blote kleibodem en was bijlange na niet de eerste die wild hoestend uit de rokende ruimte was weggevlucht. Hij vroeg zich niet af wat hij voor hen betekende en waarom, en intelligente verklaringen had hij wellicht gewoon weggelachen, dat het goed met hem ging, met mij gaat het goed, en is het van belang dat hij zijn ogen sluit voor een, of noem het maar 'de' werkelijkheid, nou en? Hele middagen bracht hij met hen door in de verstopplekken van vroeger, of opgeslorpt door hetzelfde verhaal dat hij steeds opnieuw vertelde of de geheimzinnige wereld van een nieuw verhaal. Of hij zich goed voelde? Ja, hij voelde zich goed, was blij dat ze hem niet bij voorbaat al de rug toekeerden of ongelovig keken, behalve wanneer hij een iets mindere inval had, en hij nam het niet zo nauw met de feiten of met de waarheid en zei alles wat ook maar bij hem opkwam, vroeg hun midden in de zomer of ze gingen skiën, en in de winter: zwemmen, en hij brulde soms van het lachen, zodat ze daardoor alleen al constant zaten te gniffelen en te giebelen en de stomste antwoorden verzonnen. Of er iets mis mee was? Hij had altijd al onzin uitgekraamd en het liefst de mensen voor het hoofd gestoten, werd er gezegd, maar van de flauwekul die

hij de kinderen wijsmaakte was hij nooit meer afgeko-
men en langzaam maar zeker begon hij de echte wereld met alle soorten werelden te verwarren, met de
verzinsels in zijn hoofd.

Wanneer hij een tijdje ergens zat, kon hij met zijn
gedachten bij een woord blijven hangen en hij was telkens weer verbaasd; hoe belachelijk, als je er goed over
nadacht, waar het woord ook voor staat of hoe ernstig
de betekenis is. Hij hoefde het maar een paar keer na
elkaar voor zichzelf op te zeggen, en hoe vaker hij dat
deed, hoe meer het zijn betekenis verloor, tot het er
uiteindelijk geen meer had, tot het overgeleverd was
aan vragen, aan de willekeurigste spelletjes, waarom
het was wat het moest zijn. In het restaurant stond hij
soms aan de toog en als hij flink wat op had kon hij ineens grijnzend zeggen: appelflap, of Hottentotten, of
al boerend rijstebrij, en afruimen, en hij incasseerde
daar flink wat uitbranders voor, maar kon of wilde zijn
lach nooit onderdrukken. Ze luisterden niet naar hem
wanneer hij er weer mee begon, ze lieten hem praten,
gooiden hem in het beste geval een paar zinsneden toe
en lachten om de manier waarop hij toehapte, zich
door elk woord liet uitdagen en het als een papegaai
nabauwde. Ze hadden hem al zo lang gevraagd om die
onzin achterwege te laten, waartoe, en beseften pas
gaandeweg dat het geen zin had, en ze aanvaardden
het of zeiden dat je hem vijf minuutjes moest laten begaan, ook later nog, toen hij soms niet uit zijn eigen
gebazel kwam en zijn woorden allang geen steek meer
hielden.

In die periode begon hij te zingen, weet je nog, en wij konden niet geloven dat hij de dansvloer zou opkomen en ladderzat zijn halfvergeten liedjes of onverstaanbare prietpraat in de microfoon zou lallen, lang na middernacht, wanneer de uitbater hem kon overhalen de gasten te vermaken, drie lui die maar niet naar huis geraakten, waarschijnlijk te moe waren of te eenzaam of zoiets. Hij stond onbeweeglijk in het troebele licht en dacht hoe hij vroeger soms met Hanna had gedanst op de vrolijke muziek, en op een keer, of was dat een droom geweest, was ze binnengekomen, had ze hem omhelsd en op de grond getrokken of weggevoerd uit de bar, en het was allemaal goed geweest, o zo goed! 's Ochtends vroeg kwam hij dan thuis, strompelde de gang door naar boven, vaak zo jolig dat het hele huis wakker werd, en 's middags kon hij het zelf niet geloven, besloot zo lang mogelijk uit de cafés weg te blijven, en zat de volgende avond alweer op zijn vaste stek, klaar voor een nieuw begin, voor een nieuw einde.

In de skischool stapelden de klachten zich op, dat hij tijd verspilde, praatjes maakte in plaats van les te geven en altijd wel iets vond om laat te kunnen beginnen en vroeg op te stappen. Het kon hem niet veel schelen en hij wakkerde de wrevel juist aan, nam ooit een groep beginnelingen mee naar een helling met heel veel sneeuw en stond lachend te kijken hoe ze op de grond vielen, hun ski's afbonden en te voet over de piste sukkelden, en quasi-onopzettelijk begon hij de Duitsers piefkes te noemen en de Hollanders keeskoppen, met de langste 'ee' die hij in één adem kon zeggen.

Ik wachtte af en had uiteindelijk geen keuze, weet je nog, ik moest hem wel ontslaan nadat hij die vrouw had aangevallen, dat ze moest ophouden met hem zo aan te gapen, dat hij haar slaafje of haar janlul of haar wat dan ook niet was, en nadat hij een paar dagen later na een nachtje doorzakken op de verzamelplaats voor iedereen had staan overgeven. Hij aanvaardde het, misschien blij dat een onvermijdelijke stap hem bespaard bleef, liep achterwaarts het kantoortje uit, in het dorp al een geliefd voorwerp van vergelijking, herinner ik me, je bent net als..., je lijkt wel een tweede..., wanneer iemand iets zei of deed wat niet gezegd of gedaan kon worden, en hij voegde aan het spel van de kinderen een nieuw personage toe, de gek aan de folterpaal, die door de indianen niet werd aangeraakt, uit vrees of ontzag – of ze wisten het niet.

Hij ging niet opnieuw aan de slag in het hotel en wilde alleen op uitdrukkelijk verzoek af en toe helpen in de spoelkeuken of vuilniszakken wegbrengen, als men bijna gek werd van het vele werk. Net als in de weken na zijn terugkeer kon hij urenlang zomaar voor zich uit zitten staren, of hij trok heel ver het bos in, soms verder dan het bos, en één of twee keer bleef hij die zomer de hele nacht weg, en toen hij 's ochtends half bevroren terugkwam, sloot hij zich op in zijn zolderkamer. De harmonica zeulde hij vaak mee, maar niemand hoorde hem spelen, niet meer, en het boek waarmee ze hem soms zagen, kon maandenlang hetzelfde zijn, zomaar een boek, in bruin pakpapier gewikkeld.

Hij meed de gasten net zozeer als vroeger, bleef op zijn kamer als er een vrouw naar hem vroeg, was terughoudend wanneer ze hem in het hotel aanspraken: weet u nog dat, en vertelden over die winter twee jaar geleden en over hoeveel lol, wat een lol, zeiden ze dan, die ze samen... Jakob was de verhalen meestal vergeten of ze waren als een slechte herinnering tot één geheel samengeklonterd, en hij stootte hen voor het hoofd en keek opgelucht hoe ze zich terugtrokken, geremd in hun enthousiasme. Beetje bij beetje gaf hij zijn positie verder op en stelde zich bloot aan vragen die hem bespaard bleven zolang hij zelf zijn brood... en als bruikbare mens deel uitmaakte van de dorpsgemeenschap, of op zijn minst van de rand ervan.

Hij had nooit iets te zeggen gehad, mocht in feite al blij zijn als hij een luisterend oor vond, en er was ook niet zoveel behalve zijn verhalen en verzinsels, en hij keek dan ook als een buitenstaander toe hoe de anderen om hun plaats vochten en hem niet serieus namen: hij mocht dan wel lachen, maar hij had niets te zeggen – als hij toch een keer iets vroeg. De regels bleven onuitgesproken, ofwel je was jong of je had geen inkomen en je hield je mond, of je werkte je uit de naad om mee te kunnen praten, of je had geld en kon je mening van de daken schreeuwen en niemand woog af of je werk had of oud genoeg was of zoiets. Maar nu en dan viel er een zinnetje, en iedereen wist wat het betekende wanneer iemand zei: hebben is hebben en krijgen is de kunst – en er met een arrogant lachje vandoor ging of onverschillig zijn handen omhoog stak.

Jakob hield zich afzijdig wanneer ze het over de toekomst van het dorp hadden en elkaar luidkeels allerlei dingen naar het hoofd slingerden, midden in de nacht bezopen conclusies trokken waar niemand iets aan had, zich aan dreigementen en gevloek te buiten gingen, en op een keer had hij een tafel omvergeduwd en was tussen de rinkelende glazen overeind geveerd: doe allemaal wat je wilt, en dat hij ook zou doen wat hij wilde, en woedend en straalbezopen was hij naar de deur gewankeld. Ze konden vreselijk ruziën over pietluttigheden en gelukkig zijn wanneer het hun gewoon slecht, en anderen nog slechter verging, of over hun droevige lot klagen wanneer er niet te klagen viel. Als er gestemd werd, staken velen principieel de hand op tegen het voorstel, en stelden zich pas achteraf de vraag wat ze ervan dachten of dachten helemaal niets. En het meeste bleef verborgen, of anders was je een vrouw en je jakkerde je af op drie plaatsen tegelijk en had niets, geen stem, of je bezat geld en kon de grootste onzin uitkramen, maar was je dan nog wel een vrouw?

Jakob begreep hen niet, verspilde er ook geen gedachten aan en keek alleen maar geamuseerd toe hoe ze telkens weer iets nieuws verzonnen en zichzelf het leven zuur maakten. Je kijkt naar jezelf, en op die momenten wist hij dat hij er niet bij hoorde, en het speelde geen rol of dat uit vrije wil was of omdat zij hem niet de kans ertoe gaven. Hij speelde niet mee in hun warnet van ruzies waar iedereen tegen iedereen was:

iemand kon een ander de mantel uitvegen, maar toch diens woorden gebruiken om weer een ander de les te lezen, zolang maar niemand gelijk kreeg, en dat waren veruit de langste gesprekken in de taal die verder alleen maar gebruikt werd voor het allernoodzakelijkste en die in de loop der jaren eigen omgangsvormen had ontwikkeld, veel volk zeiden ze voor: hoe gaat het, en flauw seizoen voor: het gaat wel, en voor goed en voor slecht en voor alles.

Nochtans was het helemaal niet moeilijk te begrijpen. Hij wist dat ze bij het raam gingen staan als ze een auto hoorden aankomen, verstopt achter het gordijn toekeken hoe bij de buurman, inderdaad, vier gasten arriveerden; en 's nachts repten ze zich van huis naar huis, vergeleken de menu's die uithingen, en het gebeurde weleens dat er zo'n bord op de grond of in de beek werd gekeild. En? Dat was de verklaring, en verder niets, waarom dan nog vragen stellen? Of altijd dezelfde antwoorden. Dat ze deden wat ze deden en ze hadden daar hun eigen redenen voor, of als dat niet meer telde hadden ze geen redenen nodig, en ze keken wantrouwig en wreven met hun duim over het topje van de twee vingers ernaast.

De vrouwen in het dorp waren geen vrouwen, dacht hij een keer, en pas later: maar wat dan wel – en hij amuseerde zich ineens met de onmogelijkste vondsten. De vrouwen mannen? Belachelijk als je er goed over nadacht. Dus waren ze geen van beide en bijgevolg ook geen mensen. Het moest toch iets betekenen dat sommige vrouwen soms maandenlang niet te zien waren en dat hij, wanneer ze in de herfst in het middagzonnetje zaten of zich in de vooravond opmaakten om naar de kerk te gaan of om te gaan wandelen – een paar minuten van de ene kant van het dorp naar de andere – telkens weer dacht dat het vast voor het eerst sinds hun schooltijd was dat hij ze terugzag. Tijdens het seizoen hadden ze nooit tijd, en ze kwamen nauwelijks hun huis uit, laat staan dat ze zouden gaan skiën of iets anders zouden doen dat nergens voor nodig was, en ze kwamen een onbekend café alleen maar binnen als hun man na een drinkgelag van drie nachten nog steeds niet thuis was gekomen, terwijl zij halve nachten in hun eigen café hadden gestaan, overgeleverd aan de gasten en aan hun vrouwen die met getuite lippen dronken en lachend vertelden over Griekse eilanden waar ze geweest waren of in de zomer naartoe wilden.

Jakob herinnerde zich nog: als kind liepen we overal in en uit, en hij wist hoe ze na het opdienen op het aanrecht of aan de keukentafel hadden gezeten, naar het plastic tafelkleed starend, en het liefst nooit meer een vinger hadden uitgestoken. Er was altijd werk geweest, koken, afwassen, de kamers opruimen, je moest op alle plaatsen tegelijk zijn omdat het personeel niet te vertrouwen was, en in de winter werd de schone was in grote manden naar de zolder gesjouwd en met knijpers opgehangen aan lijnen die onder het gebinte tussen de balken werden gespannen. En? Op een keer was hij voor een van de gesloten deuren blijven staan en had iemand luid horen ruzie maken – en plotseling niets meer, toen hij via de gang had geprobeerd weg te komen, in de war door het lawaai dat plotseling... en niet lang daarna was hij de openstaande kelder binnengeslopen, weet je nog, en hij had gezien hoe de vrouw van het Fend heftig slokkend en wijdbeens voor de rekken van een fles stond te drinken, vooroverboog om even op adem te komen en de fles weer naar haar mond bracht, ze herinneren zich dat het speeksel uit haar mond liep toen hij haar gezicht zag.

Op Kerstmis stond hij achter hen in de kerk en keek over de hoofddoeken en kruinen heen naar het altaar, waar de pastoor de hemel smeekte om verse sneeuw of wat ze verder nog konden gebruiken, en hij droomde dat hij met Hanna op een zomerse weide zat, dat ze weer haar short aanhad, haar blote benen uitstrekte en met haar tanden de kurk uit de halfvolle fles trok en hem uitspuugde – en lachte, zoals alleen een vrouw dat kan.

Het was nog niet zo laat toen ze de melkbar uitliepen en naar hem omkeken. Natuurlijk begon hij weer met zijn oude spelletje, zo hard tegen de klapdeuren duwen dat ze wijd openvlogen en er op het juiste moment grijnzend door proberen te glippen, blijkbaar had hij al een glas te veel op. Voor het Kleon reed een auto weg, het dal uit, maar verblind door de koplampen herkenden ze hem niet, en daarna was hij te ver weg, al voorbij de kerk. Er viel licht uit de lage raampjes van de aangrenzende stal, amper sterk genoeg om de vastgevroren sneeuw ervoor zichtbaar te maken, en door de openstaande deur was een stem te horen.

Ze lieten hem tussen hen in lopen en gingen op weg, ze wisten waarheen, en ze besteedden er niet veel aandacht aan toen hij zomaar wat begon te vertellen en uitlegde hoe hij de kinderen toonde pijlen te snijden die als het ware steeds hoger en hoger konden vliegen. Ze waren het Posthotel al voorbijgelopen toen hij plotseling bleef staan, terugkeerde en van het muurtje plaste, gericht naar de felverlichte ramen met daarachter grote tafels vol gasten. En ze herinnerden zich nog: dat hij ooit in de zomer straalbezopen in de bieslookperkjes gevallen was en dat een Duitse hem een keer had gezien en daar vreselijke herrie over had gemaakt.

Er stond een bus voor het Fendhotel, de mensen stapten uit, sleurden hun koffers de trap op, en hun ski's lagen netjes naast elkaar op straat. Bij de deur gaf een vrouw aanwijzingen, en de vreemde taal greep om zich heen in de duisternis, het dorp zou nooit meer hetzelfde zijn, en ook de taal zou veranderen, haast ongemerkt, door de nieuwe beelden die ze in zich opnam. Ze liepen langzaam voorbij, en Jakob wees lachend naar de voet van de mast, in een vormeloos bundeltje lag daar de vlag die bij het begin van het seizoen werd gehesen met een dubbele betekenis: hartelijk welkom, maar ons kent ons.

'Het moet ongeveer halfelf geweest zijn,' zegt Viz met een onwillekeurige blik op zijn horloge, en hij herinnert zich dat ze het erover hadden terwijl ze verder liepen.

Maar Jakob viel hen in de rede, laat of niet laat, wat maakt het uit, ze waren er, een hele bus die ze konden binnenhalen en uitzuigen tot er niets en niemendal meer overbleef.

VIJF

Ze kwamen binnen en meteen ging de muziek zachter, was nog amper te horen en door de microfoon
klonk een spottende stem: hartelijk gegroet, Jakob, en
een warboel van zinnen, meestal baarlijke onzin. Terwijl de gasten toekeken, staken ze de dansvloer over,
applaus, zeiden de luidsprekers, en er was niets horen,
midden in de zaal stond nog een paartje hand in hand,
maar het ging zitten juist toen opnieuw de muziek begon. Aan de toog was het er blijkbaar heftig aan toe gegaan, tussen de barkrukken reikten de glasscherven
tot aan de enkels, en de vloer glom van de nattigheid;
heel normaal op een plek waar het kan gebeuren dat
bij het minste gerinkel iemand zijn glas laat vallen en
daarna de volgende en dan weer iemand anders en als
in een kettingreactie uiteindelijk iedereen, en waar de
hotelbaas spreekverbod heeft of niet serieus wordt genomen. Uit de luidsprekers kwam weer die stem, en

het barmeisje schonk drie glaasjes brandewijn in, een rondje van het huis, en ze dronken, naar de lege dansvloer gewend, waar in steeds dezelfde patronen felgekleurde lichtvlekken overheen cirkelden, rood of blauw of groen, en op de tafels stonden kaarsen te branden.

'Hanna is later binnengekomen,' zei Viz. Hij zit voorovergebogen op het aanrecht, zijn vingers in elkaar gestrengeld, en kijkt naar Valentin, kijkt naar moeder die aan tafel is gaan zitten en nu Novak met haar glas dichterbij wenkt en naar buiten kijkt, waar niets te zien is; bij Café Tirol dezelfde gasten en nog steeds de gitaarspeler. De inspecteur excuseert zich, loopt houterig om het fornuis heen, en op de gang zijn zijn stappen te horen en de deur van de wc, die achter hem in het slot valt.

Het was twaalf uur toen ze binnenkwam, omgeven door dansende lichtvlekken in bonte kleuren die geregeld oversprongen op haar kleren of op haar gezicht en secondenlang een bepaalde plaats accentueerden, en haar haar zag er koperrood en violetblauw uit en een soort groen waar geen naam voor bestaat. Ze werd vanaf de toog aangestaard, en ze wist heel goed wie wie was of wat, van vroeger, toen ze tijdens het werk elke nacht naar andere verhalen moest luisteren, of telkens naar dezelfde, en toen ze soms opbleef om tot 's morgens vroeg naar muziek te luisteren. Ze deed haar jas uit, eronder droeg ze een mouwloze jurk die bij elke stap open viel en weer dicht, nog voor je de tijd had om goed te kijken. Haar lippen waren knalrood opgemaakt.

We kijken elkaar aan en herinneren ons hoe enthousiast Hanna kon beginnen te vertellen en altijd weer op Frankrijk of op Parijs kwam, waar ze naartoe wilde; maar ze is nooit gegaan, en de laatste keer sprak ze er niet eens over, of ze begrepen het niet, ze begrepen gewoon haar gedachten niet, en dat haar oorden zich misschien wel totaal ergens anders bevonden. Vanaf de gang zijn voetstappen te horen, en we stellen ons voor dat zij het is die op haar hoge hakken dichterbij komt, maar de inspecteur doet de deur al open.

Ze stond eerst wat aan de kant, en toen ze naar hen toe kwam zochten hij en Valentin een excuus om hen alleen te laten, zegt Viz. Er ging een hele poos voorbij voordat Jakob begon te praten, minutenlang stonden ze zwijgend naast elkaar. Maar daarna ging het er snel heftig aan toe, en de stem maakte van de gelegenheid gebruik om nog eens vanuit alle hoeken te kraaien, Jakob, riep ze, en dat hij vast wel zou willen zingen. De hele winter hadden ze zich beiden nauwelijks laten zien, en zodra ze ergens samen zaten, begonnen ze elkaar te beschuldigen en uit te maken voor al wat lelijk is. Smeerlap, herinnerde Viz zich een keer, of lapzwans, en Jakobs reactie: en jij, en jij, stomme trut, smerige teef.

'Die avond was het net zo.'

'Het was net zo?'

Ze zou nog weleens zien. 'Als je nog zult kunnen zien.'

'Dat is wat hij zei?' De inspecteur kijkt Viz aan.

'Misschien.' Je mocht niets letterlijk opvatten. Viz

ontwijkt de blik niet, hij schuift helemaal naar achteren op het aanrecht en leunt overdreven rechtop tegen de muur. De zon valt schuin door het keukenraam naar binnen, een heldere lichtvlek op de achterdeur, en hij knippert met zijn ogen door het felle licht dat zijn gezicht beschijnt en zijn baard van één dag laat zien, en hoe weinig hij geslapen heeft. In zijn hand houdt hij een sleutelbos, en bij het minste gerinkel kijkt mevrouw Gritsch hem zijdelings aan. 'Misschien heb ik het verkeerd verstaan.'

'Vast wel,' zegt de inspecteur, en we weten dat hij het niet gelooft. Buiten horen we het geblaf van een hond, nogal lusteloos, maar zodra je gewend bent aan de stilte en er niet meer aan denkt, begint het opnieuw. Voor Café Tirol draaien de gasten zich om en kijken allemaal in dezelfde richting, ergens achter het Fendhotel is blijkbaar iets gebeurd. Uit het huis van Karlinger komt een vrouw met twee varkensemmers naar buiten, en wanneer de hond na een tijdje weer begint te blaffen, dit keer bijna gek van opwinding, blijft ze staan, en nu steekt hij in een flinke draf de straat over en houdt iets in zijn muil; een konijn, krijst mevrouw Gritsch – met zo'n schrille 'ij' dat het pijn doet.

Met het werk in de skischool verloor hij zijn vaste inkomen en algauw was hij overgeleverd aan de goedhartigheid of de sluwe berekening van deze of gene, toen het laatste café hem op zijn schulden wees en alleen nog maar uitschonk wat hij eerst betaald had. Hij veranderde zijn oude gewoontes niet, bezocht elke dag zijn vertrouwde cafés, maar ging voortaan wel eerst naar moeder, weet je nog wel, die hem het exacte bedrag voor een glas wijn neertelde, schilling per schilling; of soms kwam hij naar mij. Van de broer zag hij nog geen stuiver, vroeger zelfs niet eens zijn loon voor het werk in het hotel. Het leek hem niet te deren, maar hoe konden ze het weten? Soms praatte hij met Hanna, keek haar over de tafel een hele poos aan, of begon plotseling, wanneer ze de straat een heel eind waren opgelopen, dat het geen leven was, en het gebeurde dat hij ineens begon te huilen, zomaar, naar men zei. In de cafés viel het niet op. Hij vertelde dezelfde verhalen en dezelfde nonsens, en als hij de hele avond geen woord zei, noemden ze hem bezopen, niet ongelukkig, of ze keken langs hem heen.

Soms wist hij van een waard weleens een glas wijn af te troggelen, of hij kreeg er een aangeboden wanneer hij allang dronken was, zodat hij helemaal de kluts kwijtraakte en niet meer wist wat hij deed. Ze probeerden hem uit te horen en haalden hun grappen uit, deden afwasmiddel in zijn glas, staken een heel pak sigaretten in zijn mond, of de microfoon, als hij het niet uithield, en ze lachten, en ze bleven ook lachen toen hij een keer begon te gillen en zijn moegetergde schreeuw door alle luidsprekers te horen was. Waarom hij zich niet verzet heeft? Vaak keek hij onverschillig toe, alsof hij er niets mee te maken had, alsof hij iemand anders was, en pas weer zichzelf werd als hij de wijn aan zijn lippen kon zetten die hij als beloning of als goedkope troost kreeg. Wat is dat voor een vraag? Na middernacht zetten ze hun glazen op een lange rij op de toog en keken lachend toe hoe hij in een ijltempo uit elk glas de laatste slok opdronk, en als hij binnen de tijdslimiet bleef, kreeg hij een dubbele fles wijn of mocht hij aan de volgende ronde beginnen, telkens opnieuw, tot hij niet meer kon of alles weer uitbraakte.

Het was geen leven. In de late voormiddag verliet hij zijn kamer en ging zonder iets te zeggen aan de keukentafel zitten, bladerde de krant door of keek gewoon een beetje naar buiten, wachtte op het eten en liep hoofdschuddend weg zodra de nerveuze drukte van de eerste bestellingen begon en iedereen jachtig op en neer rende en hem soms de schuld gaf van wat fout liep: sta niet zo in de weg. Er waren dagen dat hij niet kwam opdagen, en wanneer moeder iemand stuurde om op zijn deur te kloppen, zei hij dat hij onpasselijk was en lachte om het goed gevonden woord of begon gewoon te mopperen. En op een keer gaf hij helemaal geen antwoord, lag halfnaakt op de grond volgens Novak, die op het dak was geklommen en door de smerige ruit zijn kamer binnengluurde. Zijn wandelingen en zijn tochten in de nabije omgeving werden steeds zeldzamer. Gewoonlijk bleef hij binnen, trok zich terug op zijn kamer of zat beneden, tot hij in de vroege middag onrustig in de gangen op en neer begon te lopen en plotseling verdwenen was, ze wisten waar naartoe. Ze hadden hem de sleutel van de kelder afgenomen nadat er een inventaris was opgemaakt, en op de voorraadkamer was een slot aangebracht omdat

hij slok per slok de wijnflessen leegdronk en er lei-
dingwater bij deed tot er geen alcohol meer overbleef,
zelfs geen geur.

We spraken in die tijd niet vaak met hem, op moeders verjaardag, ja, maar hij was toen zo stil geweest,
had zich afzijdig gehouden, alsof het hem allemaal
niet aanging, een komische figuur in vaders blauwe
kostuum, en wat hij zei klonk geforceerd en werd gevolgd door een lange stilte en verbaasde blikken; het
was nog steeds mogelijk een verstandig gesprek met
hem te voeren, maar ze kwamen er niet achter onder
welke voorwaarde. Het was iets dat hij niet onder controle had. Waanzin, werd het in het dorp genoemd,
nooit ziekte, een woord uit een heel andere werkelijkheid, waar niemand om lachte. Gesprekken met hem
konden lange tijd goed gaan, vooral in kleine groepjes,
met z'n tweeën of onder bekenden, maar ineens over-
viel het hem, en hij begon, had het helemaal te pakken
of stelde zo'n vraag waarop je niet wist wat te zeggen
omdat het antwoord voor de hand ligt of omdat er
geen antwoord voor is. Wat hadden ze kunnen doen?
Ze sloegen hem gade, en hij hield hun blik vast, soms
zo alsof hij totaal ergens anders was, zodat het hen bijna verbaasde als hij weer tot zichzelf kwam. Of hij
kwam niet terug, niet echt, hij was met zijn verhalen
verdwenen naar een fantasiewereld waarvan hij de rol-
len op zich nam, allang niet meer hoefde te spelen
– tenzij nog die ene rol, wanneer we dachten, nu is hij
normaal? Niemand zou hem komen halen, zei hij,
zelfs de politie niet, waarmee hij bepaalde wie de

hoogst denkbare machthebber was, of hij zei dat hij naar Parijs moest, naar zijn hoeren moest gaan kijken en werk moest maken van zijn platencontract, dat hij burgemeester en landvoogd was, en dat ergens voor hem een monument werd opgericht.

Hij voelde zich eenzaam als niemand naar hem luisterde, natuurlijk herinneren we het ons, hij probeerde soms met alle mogelijke middelen de aandacht te trekken, zoals die keer dat hij de hele bar rondging en mensen lastigviel dat ze 'trek' moesten roepen, iedereen, en hij wijdbeens midden op de dansvloer bleef staan en trok, zijn wijnglas met één ruk tegen het plafond smeet, de schurftige coyote, en de scherven over zijn hoofd vielen en nog maar een keer kapot sprongen op de grond, heel zacht in de harde muziek.

Hij begon zijn uiterlijk te verwaarlozen. Als kind droeg hij al kleren van ons, zijn oudere broers, spullen die voor hen te klein waren, en in de loop der jaren bleef dat zo. Hij kreeg de afgedragen broeken, schoenen en truien, en ook de hemden waarvan de kraagpunt te lang was of die om een andere reden niet meer in de smaak vielen, alleen het witte ondergoed wilde hij niet, dat van hem was gekleurd. In de meeste van die kleren zag hij er belachelijk uit, ze waren te groot of te ouderwets of zo, maar hij merkte het niet of het kon hem niet schelen dat hij smakeloos overkwam, vooral in de duurdere stukken die niet bij hem pasten en er versleten nog veel sjofeler uitzagen. Maar niemand nam er aanstoot aan.

Hij waste zich niet, hij zou een hele week hetzelfde overhemd hebben aangehouden, tien dagen of nog veel langer, als niemand een opmerking had gemaakt wanneer hij de keuken binnenkwam met een geur die niet te harden was en enkel te beschrijven omdat men wist dat het bier en wijn en sigarettenrook was, vermengd met vrouwenparfums. Hij zei geen woord en verscheen de volgende ochtend soms in fris gestreken kleren, toonde iedereen zijn gezicht en vroeg, met de scheerlotion nog op zijn baardstoppels, of hij al beter rook. Het was moeder die het soms nog voor hem opnam en zich zo goed en zo kwaad als maar kon om zijn kleren bekommerde; als hij ze haar wilde geven en niet juist zijn kuren had. Dat zeiden ze in het dorp: dat hij zijn kuren had, wanneer hij weer eens de kluts kwijt was – zoals die keer dat hij zijn broek niet wilde afgeven, er nog trots op leek te zijn ook en lachend naar de donkere vlek en de laatste restanten van braaksel wees.

Hij zag er het ergst uit als hij zijn haar had geknipt, om de zoveel maanden. Om de een of andere reden, wellicht om een paar schilling uit te sparen, ging hij niet meer naar de kapper: ze herinneren zich weer hoe hij als kind door het dolle heen kon zijn wanneer ze er naartoe moesten; hij wilde overal aankomen en snuffelen aan de flesjes en potjes die in de glazen kasten op rijen stonden en door de spiegels eindeloos verdubbeld werden, en achteraf zei hij lachend dat ze nu allemaal op elkaar leken. En nu? Weken later kon je nog altijd de littekens in zijn nek zien, en de gedachte al-

leen al deed je met je vingers aan je achterhoofd voelen en aarzelend naar de haargrens tasten, maar er
was niets, alleen het idee en bepaalde woorden ervoor.

In de loop der jaren waren zijn tanden een voor een
weggerot, en hij at alleen nog maar soep en witbrood,
of wat hij maar kon kauwen en in zijn handen kreeg,
want zijn schoonzus zorgde ervoor dat hij niet overal
toegang toe had of niet kon komen of gaan en nemen
wat hij maar wilde. Op een keer reed hij mee naar de
tandarts, maar op het laatste moment vluchtte hij de
volle wachtkamer weer uit. Waarom? Ik ben gezond,
zei hij achteraf, en hij lachte hen toe met gesloten
mond; hij moest het toch weten, of had hij dan echt
geen benul en klopten de geruchten dat hij had geprobeerd zijn uitgevallen snijtanden aan zijn verhemelte
vast te plakken?

Op een middag was hij het huis uit en opende mijn
broer met een loper de deur van zijn kamer. Hij ging
naar binnen en bleef een hele poos op het onopge-
maakte bed zitten, keek rond in het licht dat slechts
mondjesmaat door het dakvenster viel, opgezogen
door de wollen deken die ervoor hing. De meubels
stonden blijkbaar nog steeds op dezelfde plaats als
vroeger; tegenover hem stond de kast waar twee kar-
tonnen koffers op lagen, door Jakob één enkele keer
gebruikt, op de ene koffer stond San Francisco, maar
wie was daar ooit geweest? Daarnaast stond de tafel,
met erop een heleboel kranten en eronder drie boeken, gekaft met bruin pakpapier. Op de grond slinger-
de overal wasgoed rond, en in de hoek tussen het

nachtkastje en het bed stond de harmonica, verborgen onder een berg handdoeken. De vuilnisemmer naast de wastafel zat allang propvol en stond in een zee van rommel; verfrommelde verpakkingen, een paar lege flessen en een uitgeknepen tube tandpasta. Onder het bed lag een tijdschrift dat in het midden was openge- slagen op de foto van een vrouw met blote borsten, In soepele lijnen verliep de grens tussen licht en donker over haar huid; helemaal achteraan tegen de muur on- der een laag stof lag Jakobs boog, weet je nog wel, da- genlang had hij het bos afgestruind op zoek naar de beste stok en daarna had hij heel nauwkeurig orna- menten in de schors gekerfd en hun het natte hout ge- toond dat eronder zat, en hoe je de pijl heel ver over de verzamelplaats kon schieten, bijna tot aan Karlingers stal; naast de harmonica stond een paar schoenen met de punten piekfijn naast elkaar geplaatst, wat je niet zou verwachten. De deur van de kast stond op een kier. Er hingen drie broeken aan een hangertje, en alle vak- jes zaten vol met lege flessen, netjes gestapeld als in een wijnkelder. Op de bodem stonden twee dozen waarvan het opschrift onleesbaar geworden was. Daar- achter, op de achterwand, was met een paar kopspel- den een prent opgehangen, een oude foto van Hanna's gezicht op het lichaam van een ijsschaatsster, vlak voor ze een sprong gaat maken. Ook naast de kast hingen foto's, en het hout was bedekt met allerlei krabbels in verschillende handschriften, van hij houdt van haar en wil met nog een ander neuken, ik en jij, plusje of hart- je, en wel honderd meisjesnamen, jij en jou, en wijze uitspraken, dat de wereld is zoals hij is, en dat het leven te kort is, en obsceniteiten die in die hele fantasterij nog de meest realistische indruk maakten.

Waarover ze ruzie maakten, vragen jullie maar, al is het laat. De dagen verstreken en niets of niemand veranderde, en jaren later was alles toch altijd weer anders geworden als ze dachten aan vroeger en wat er allemaal verloren was gegaan en hoe weinig gewonnen. Op dat vlak waren alle levens eender, en achteraf leek het eigenlijk niets uit te maken of iemand het op een bepaald moment goed of slecht maakte. Vaak was men zich van het moment zelf niet bewust, en van het verleden heeft men vaak een verkeerd bewustzijn, dat zichzelf steeds weer bedriegt tot het is waar men het hebben wil. In hun totale wanhoop botsten ze tegen elkaar op en kwamen in een leegte terecht, en als alles voorbij was, bleven ze vaak nog een hele tijd bij elkaar zitten, terwijl hij haar hand zocht en vroeg wat er toch weer met hen gebeurde en of dat een leven was.

Soms maakten ze een wandeling, altijd via dezelfde weg. Maar de momenten samen werden zeldzamer toen Hanna niet meer in de bar werkte. En waarom zouden ze een afspraak maken, dat is wat ze zei; of als ze eenmaal aan het ruziën waren, schreeuwde ze hem toe, wat hij eigenlijk wilde, of hij niet inzag dat het allemaal geen zin had, en Jakob wist waar hij aan toe was, of hij wist helemaal niets meer wanneer ze hem verzekerde dat het zo niet bedoeld was, en hem de fles wijn aanreikte: toe, neem een slok en alles is weer in orde. Als hij 's nachts was gaan stappen, zat hij soms een hele tijd gehurkt onder haar donkere raam en keek naar boven, maar nooit had hij een sneeuwbal gegooid of ook maar geprobeerd haar wakker te maken, waarom ook, hij zou niet geweten hebben wat te zeggen, en zou niets hebben gezegd, of zomaar iets, wat hij niet wilde. Op weg naar huis was hij halfnuchter van de kou, en later in bed lag hij wakker tot hij het warm kreeg en minder beefde en alleen nog stuiptrekkingen had, terwijl zijn lichaam langzaam tot rust kwam.

Waar ze hem de schuld van gaf? Soms leek het alsof hun problemen juist het grootst waren wanneer ze elkaar na een tijd voor het eerst terugzagen en niets nieuws wisten te vertellen, elkaar zomaar zaten aan te staren. Dan begon Jakob over vroeger, maar ze snoerde hem de mond: kom nou, hou op, zo mooi was het heus niet geweest, en telkens als hij Parijs zei, werd ze woedend of lachte hem uit, of hij dat nu echt serieus genomen had, die onnozele praat van haar. Bij al hun tegenstellingen was duffe sprakeloosheid vaak het enige wat hen verbond, en dan nog alleen maar als woord, omdat zijn manier van zwijgen anders was dan die van haar en de ene leegte geen ruimte liet voor de andere. Het liefst was hij op die momenten hard beginnen te schreeuwen of had hij iets willen doen, de beek oversteken, in de openlucht slapen of een hele week niets meer eten, opdat alles ofwel voorbij zou zijn of opnieuw kon beginnen.

Ze schoten het best met elkaar op als ze allebei

dronken waren. Ze zaten in de bar of hadden een fles wijn op de kop weten te tikken en het kwam zelfs tot een gesprek, iets van hun vroegere vertrouwdheid kwam terug, tot ze zich elk in hun eigen gebazel verloren en niet meer luisterden. Of tot iemand tegen Jakob een bepaald woord zei dat hem naar een andere wereld meesleepte: laat me met rust – jawel mijnheer de burgemeester, en het haalde niets uit als Hanna hem probeerde te bedaren. Er waren er altijd wel die lachten en het kon nooit zo serieus zijn of ze vroegen of zijn mokkels genoeg verdiend hadden met tippelen, of mochten zij hem een glas aanbieden? Het was niet mooi om aan te zien, zoals ze aan de toog zaten, verenigd in hun ellende, maar wat konden we doen? Op een keer viel Jakob zwijgend van zijn barkruk en bleef voor dood op de grond liggen, midden in een enorme plas bier en wijn; en een andere keer, toen ze 's ochtends vroeg de bar verlieten, gleden ze zo ongelukkig uit op de beijzelde straat dat Hanna's voorhoofd bloedde. De dagen gingen voorbij en niets of niemand veranderde, en toch was na een tijd alles altijd erger geworden. Hoop op de toekomst moest wel valse hoop zijn, omdat de toekomst altijd onvermijdelijk heden wordt, daar valt niets tegen te doen, Jakob. Op een oudejaarsnacht had Hanna op hem overgegeven, en ze hadden elkaar omhelsd en niet meer losgelaten, en ze hadden allebei zitten huilen, weet je het nog; en op nieuwjaarsdag waren ze op de een of andere manier op de verzamelplaats beland en konden er niet meer weg, bleven in steeds dezelfde kringetjes ronddolen en waren uiteindelijk gaan zitten, straalbezopen, ze hadden zich niets aangetrokken van de schreeuwende kinderen die zich bij de hoeken hadden opgesteld en van alle kanten tegelijk 'hier' riepen, hier, en lachend rotjes gooiden, een harde knal en alweer een nieuw jaar.

Of hij echt nooit met haar naar bed was geweest? Wat is dat voor een vraag? Die zomer waren ze nog één keer met een fles wijn naar de vossenholen getrokken en hadden ze lang in de schaduw van de rotsblokken gezeten, hand in hand. Laat ons hier blijven, had Jakob gezegd, en Hanna had zich over hem heen gebogen en zijn broek losgemaakt, maar er was niets gebeurd, zijn geslacht helemaal slap en klein tussen haar vingers.

In het dorp beschouwden ze Jakob als iets waar ze mee hadden leren leven, en men kon hooguit proberen er een beetje munt uit te slaan. Zolang het de zaken niet schaadde was alles toegestaan, maar ze bekeken hem met argusogen en vreesden bij het minste signaal meteen het ergste; dat de gasten ervandoor zouden gaan of vast nooit terug zouden keren. Handig wisten ze Jakob te krijgen waar zij het wilden, ze hoefden slechts zijn bereidwillige lachje te zien en legden bemoedigend een hand op zijn schouder: vertel eens een mop; en hij mocht zeker zijn van zijn fles wijn. Maar steeds vaker duwden ze hem stilletjes weg als hij ineens begon te schreeuwen: piefke; soms alleen maar dat woord, of als hij er gewoon niet uit zag en de dames zich vol afkeer afwendden. Als hij ergens niet meer binnen mocht, stond hij de dag erna voor de deur, dat hij het zo niet bedoeld had, en meestal mocht hij weer binnen, voor de allerlaatste keer. Waar hij de Duitsers van beschuldigde? Hij was een arme drommel, was allang zijn realiteitsgevoel kwijt, en hij kon niet tegen grapjes, proost, en het volgende rondje was van het huis.

In de zomer sprak moeder met een arts, en Jakob liet zich niet zien, weet je nog, niemand zou hem komen halen, en zeker niet zo iemand, maar achteraf wilde hij alles weten en maakte hij ons hoorndol door constant te vragen wat dit betekende of dat, en voor het eerst werd het woord ziekte hardop uitgesproken.

De schuld? Ofwel zocht hij iemand om zijn hele ongeluk op af te schuiven, of hij wilde alleen zijn, zodat niemand zou kunnen zien hoe hij langzaamaan kapot ging. Hij keek de gasten in hun hoedanigheid van gast nog steeds ongelovig aan, hoe ze voor de honderdste keer vertelden over een leven dat een echt leven was, en soms dacht hij: misschien waren ze wel gelukkig en beter af in hun Ruhrgebieden, in elk geval beter dan hij. Op een middag sprak een vrouw hem aan in Café Tirol, of hij het nog wist, en ze zei haar naam, ze hadden elke avond in de melkbar gezeten, maar Jakob schudde zijn hoofd en liep weg zonder iets te zeggen; vijftien jaar geleden moest het zijn, dat hij op Goede Vrijdag op het kerkorgel had gespeeld en in alle gebedsboeken had geschreven dat hij van haar hield, ik hou van jou, in kanjers van letters over de hele bladzijde.

Verder bleef er niets aan te doen. Na elk seizoen kwam het tussenseizoen en na de eerste sneeuw kwam de winter terug. Soms lag hij te huilen in zijn kamer of liep hij op straat te vloeken en te tieren, maar wat haalde het uit als de tijd toch vanzelf voorbijging, in cirkels of op één rechte lijn de oneindigheid tegemoet?

Ze konden hem die avond nergens toe bewegen. Hij leek nauwelijks te horen wat ze zeiden, en wanneer ze de muziek zachter zetten en hem de dansvloer opduwden, bleef hij een poosje staan en keerde met de microfoon achteloos in zijn hand terug, zodat hij een keer over de draad struikelde en languit neerviel. De ruzie met Hanna was bijgelegd en ze probeerden uit te stralen dat ze goed met elkaar opschoten, zoals ze zwijgend tegen de toog stonden en af en toe het glas hieven. Na enen liep de bar snel leeg, het beetje volk dat er nog was stond in het halfdonker, eenzaam in de harde muziek, en alleen de stem, het gelach uit de luidsprekers leek hen af en toe op te schrikken, dat hij misschien zou gaan zingen. Maar Jakob gunde hun dat plezier niet, in een onverwachte woedeaanval begon hij te schreeuwen en keilde zijn glas naar een man, zodat er midden in het lawaai plotseling een stilte viel.

'Het was nog geen twee uur toen ze weggingen,' zegt Valentin.

Op de langzame muziek hadden twee mensen elkaar gevonden en ze schuifelden haast onbeweeglijk over de dansvloer, en de geur van gemorst bier leek ineens dubbel zo sterk. Achter de toog was de hotelbaas verschenen die foeterde dat de mensen allang sliepen en dat de muziek door de gang tot op de tweede verdieping te horen was. Hij hield een zaklamp in de hand en knipte hem nerveus aan en uit. Het barmeisje schonk een glas wijn halfvol en dronk het in één teug leeg, veegde haar mond af met de rug van haar hand, en eventjes glipte haar tong tussen haar lippen.

'Hij legde zijn arm om haar schouders,' zegt Valentin, 'en hield haar zo vast terwijl ze de dansvloer overstaken, waar nog steeds de lichtvlekken overheen cirkelden, rood en daarna blauw en daarna groen, zodat je er niet lang naar kon kijken zonder helemaal tureluurs te worden.'

Het duurde tot 's ochtends vroeg. Zodra iemand ervandoor ging, dook van ergens anders weer iemand op die niet kon slapen, die in de stilte van de nacht geen rust kon vinden of gewoon ontsnapt was om het laatste glas niet alleen te hoeven drinken. Uiteindelijk stonden dezelfde figuren als anders in het schemerige licht om de toog, en het was net als altijd, iedereen door zichzelf in beslag genomen, op dezelfde manier zwijgend als alle avonden tevoren en de vele avonden die waarschijnlijk nog zouden komen.

'Het was dus nog geen twee uur?'

'Ja.'

En het was al licht toen de laatste klant de bar uitkwam, de dag was al volop aangebroken.

ZES

Dat ze vaak midden in de nacht wakker wordt, zegt
mevrouw Gritsch, bij het raam gaat zitten en naar buiten kijkt. Niet dat er veel te zien valt, de etalage van de
winkel of soms licht in een van de douanegebouwen of
ergens aan de overkant van het dorp, maar daar was
het niet om. Tegen de ochtend begint het heel rustig te
worden, en het geluid van de beek versterkt die indruk, alsof aan de stilte nog iets onttrokken wordt. De
mensen slapen, misschien is dat het, of iemand die
laat naar huis gaat hoort zijn eigen stappen dubbel zo
hard en schrikt ervan, en zelfs dronkenlappen blijven
eerst eventjes staan en spreken op een fluistertoon,
houden hun lach in als ze de bar uitkomen en naast elkaar tegen de huismuur plassen.

'En die nacht?'

Ze zaten op de bank voor de winkel.

'Ik ging net weer naar bed,' zegt mevrouw Gritsch.

Door het open raam was iets te horen, stappen die in het donker dichterbij kwamen. Ze bleef zitten en tuurde naar buiten, speurde de hele straat af, maar niets, en ineens stonden ze in het licht van de etalage, Jakob en Hanna, en ze keken de winkel in, hand in hand, en hun lange schaduwen vielen op het bevroren asfalt.

Mevrouw Gritsch praat rustig, zichtbaar tevreden dat ze gehoor vindt, en kijkt ons een voor een aan, ze heeft zich van het aanrecht laten glijden, staat rechtop en kruist haar armen voor haar borst, ten teken van onverstoorbaarheid, en ze werpt even een blik door het keukenraam als om te bevestigen dat ze daar zaten, op de rode glimmende bank die daar in het middagzonnetje staat. Wij aan tafel leunen achterover en geven elkaar een stomp als ze een bepaald woord gebruikt, 'per exempel' of iets dergelijks, en in een van haar gewichtige pauzes valt moeders glas van tafel en springt met een helder gerinkel kapot op de grond. Aan de overkant van het dorp is gekrijs te horen van een zaag die een hele tijd stationair loopt en daarna wordt afgezet. Een auto komt langzaam over de brug gereden en houdt halt in de bocht. De gasten voor Café Tirol zijn in totale onbeweeglijkheid vervallen, gericht naar de zon hangen ze in hun stoelen, met hun ogen dicht of verborgen achter donker brillenglas, en de ober staat werkeloos voor de deur, in een zwarte broek en een jasje met hertenknopen, die vanuit de keuken niet te zien zijn. Niemand kijkt op de klok, en het is dan ook niet zeker of de tijd niet juist nu een seconde overslaat.

Hoe lang ze daar bleven zitten?

'Ik weet het niet.'

In het licht van de winkel zaten ze naast elkaar op de bank, in de etalage achter hen stonden jeneverflessen in groepjes van drie, een boomstronk versierd met allerlei tierelantijntjes, zonnecrèmes, lippenbalsem, zakflessen in diverse formaten, en diagonaal lag een paar ski's, met de bijhorende stokken gekruist voor de skibinding. Ze staarden voor zich uit, allebei onbeweeglijk, en wat ze hadden gezegd, als ze al iets hadden gezegd, ik weet het niet, zegt mevrouw Gritsch. Ze zaten dicht tegen elkaar aan op het uiteinde van de bank, en ze verstopten hun handen, twintig vingers gebald tot één kluwen, in Hanna's schoot. Vanaf het balkon boven hen hing een touw, het begin bengelde juist op ooghoogte nauwelijks merkbaar heen en weer, een restant van het spel van de kinderen die overdag allerlei spullen naar boven getrokken hadden en weer hadden laten zakken of gewoon laten neerploffen als hun dat beter uitkwam.

'Ze hadden blijkbaar ruzie gehad.' Mevrouw Gritsch zwijgt en kijkt hoe Novak zich bukt en met een handborstel de scherven opveegt. Hij laat zich op zijn knieen glijden en kruipt half onder tafel op zoek naar de laatste scherven. Moeder komt overeind. Ze gaat naar de gootsteen en draait de kraan weer open, laat het water een hele poos lopen, hard kletterend in de lege metalen bak, voor ze er even haar handen onder steekt. Buiten blijft een vrouw voor de winkel staan om binnen te kijken of om het opschrift te lezen, een kartonnetje met de openingstijden, netjes opgehangen aan de deur.

'Tien minuten, een kwartiertje, ik weet het niet,' zegt mevrouw Gritsch.

Daarna stapten ze op. Er kwam muziek uit de bar, en even later reed van het Fendhotel een auto weg, de lichten verdwenen snel over de brug, naar de overkant van het dorp, weg uit het dal. Bij het lawaai van de motor kwamen ze overeind, ze stapten in het licht van de etalage over de bevroren straat en verdwenen vlak onder haar raam in het donker, er was geen woord te horen en ze liepen een eindje van elkaar, één of twee meter tussen hen in.

'Is dat alles?' De assistent kijkt mevrouw Gritsch aan. 'Of wil iemand daar nog iets aan toevoegen?' Midden in de zin breekt zijn stem en hij schraapt hard zijn keel. In de stilte die daarop volgt maken beide mannen aanstalten om te vertrekken. Ze zetten hun dienstpet op en blijven in de gang tussen fornuis en aanrecht even dralen.

'Wacht,' moeder komt terug uit de spoelkeuken, 'nu nog niet,' en ze maakt weer dezelfde nerveuze indruk als in het begin, toen ze de keuken binnenkwamen en eerst nergens oog voor hadden en alleen maar wilden weten waar Jakob was.

'Waar is hij?'

'In zijn kamer,' maar ze moesten hem wat tijd geven, toch zeker nog een paar minuten, 'Max en Siegfried zijn bij hem, en hij slaapt, door de tabletten die hij ingenomen heeft.'

Daarna kwam hij nog maar zelden buiten. Het gebeurde dat hij zich maandenlang in geen enkel pension liet zien, en als hij ergens kwam leek hij steeds kleiner en verschrompelder en was hij het oude mannetje, of ze begrepen het niet – misschien was er iets verloren gegaan of integendeel juist iets bijgekomen – of ze konden het niet benoemen, alleen dat hij niet meer afhankelijk wilde zijn van zijn oude voorliefdes, of toch niet, zodra hij weer wijn dronk zoals gewoonlijk, het ene glas na het andere en in kleine slokjes. Hij kwam niet meer, misschien omdat hij zich zelf niet meer goed voelde in zijn armzalige toestand, of omdat hij moe geworden was na al die jaren, of omdat het toch niets meer uitmaakte sinds hij van moeder weer binnen mocht in de kelders, op voorwaarde dat hij zich gedeisd hield. In de cafés werd volop naar redenen gezocht, maar eigenlijk interesseerde het niemand en moesten ze zelf allemaal op de een of andere manier nacht na nacht zien door te komen.

Vaak zat hij thuis. Hij ontliep iedereen, weet je het nog, hij verliet zijn vaste plek bij de kachel zodra iemand de huiskamer binnenkwam, liep door de keuken naar buiten of zocht eerst in dozen en kasten naar iets eetbaars als hij wist dat hij alleen was, hele middagen sloot hij zich op in zijn kamer of zat hij zomaar wat in de werkkelder en liet de vroegere klusjes en aardigheidjes voor wat ze waren. In het tussenseizoen liep hij soms door de lange gangen en opende lukraak deuren van lege kamers, tot hij helemaal opgewonden raakte bij de gedachte dat niemand ook maar een idee had waar hij uithing, tot hij ergens binnen liep, op het bed ging zitten en een fles wijn ontkurkte. Of hij zich goed voelde? Soms dronk hij zoveel dat hij niets meer wist en met zijn ogen wijd open niets meer kon zien, en later, wanneer de anderen over hem praatten, dacht hij niet aan zichzelf of dacht hij alleen: ik besta niet.

Die winter was het achttien jaar geleden dat hij uit de stad teruggekeerd was en het dorp niet meer verlaten had, afgezien van dat ene mislukte bezoek aan de tandarts en die andere keer, toen hij mee was gereden om vlak over de grens appels te halen, en dezelfde dag nog teruggekeerd was. Wat buiten het dorp gebeurde liet hem koud. Hij las de krant, en wat daar beschreven stond leek nergens te bestaan of zo ver weg dat het niet echt kon zijn. Of hij hoorde iemand iets vertellen, een gast die de halve wereld had gezien, en hij wist – of wist hij het niet? – dat er alleen maar praatjes van overbleven. Een enkele keer informeerde hij hoe ver het was en of je een reispas nodig had, en hij wilde een atlas hebben om een bepaalde plaats in het oosten van het land op te zoeken, maar de volgende dag zat hij er stilletjes bij, weet je het nog, en kon hij niet geloven dat het dienstertje maar gedaan had alsof en gewoon voor de lol met haar ogen gedraaid had.

Hij had elk gevoel voor realiteit verloren – en er niets bij gewonnen. Niemand verwachtte iets van hem, behalve onnozele praat of de zoveelste onbeschofte streek, en daarin stelde hij hen niet teleur, in het begin misschien opzettelijk, maar ook omdat hij niet anders kon en geen andere mogelijkheid zag of er geen meer had. Behalve Hanna was moeder de enige persoon met wie hij soms praatte als ze elkaar in huis ergens tegenkwamen, vaak slechts een paar zinnen waar moeder achteraf over piekerde. Haar bezorgdheid bleef eerst nogal vaag, geklaag over de slechte tijden, wat soms ook op hem betrekking had, maar steeds meer vreesde ze dat hem iets zou overkomen, of dat hij zichzelf iets zou kunnen aandoen, zoals die keer, toen ze in zijn kamer het geluid van de harmonica had gehoord en met beide vuisten op zijn deur had getrommeld: wat er aan de hand was – omdat hij zo lang niet meer gespeeld had; of die ochtend dat hij niet in zijn bed lag en dat zij doodsbang het hele huis had afgezocht, tot hij in een van de hotelkamers gevonden werd, poedelnaakt naast het bad.

Ergens in die periode begon hij zich weer van alles in te beelden. Op een ochtend kwam hij de keuken in en vroeg een koortsthermometer, en niemand stond er verder bij stil, iedereen lachte toen hij zei dat het vast kanker was. Maar vanaf dat moment kenden ze geen rust meer, het liet hem niet los, en als hij lang op zijn kamer had gezeten, kwam hij met vreemde opmerkingen en vragen aanzetten of hij liep huilend door de gangen, dat hij het niet meer uithield, en wat te doen, wat moest hij doen, als niemand iets kon doen? In de kelder ging hij elke dag op de vleesweegschaal staan, en je kon hem horen jammeren, drieënzestig kilo, en hoe hij erover praatte, mijn ziekte, zei hij, en dat hij een kankerlijder was. Het lukte niet hem tot bedaren te brengen, omdat hij het altijd beter wist en de flarden die hij hier of daar had opgevangen op zijn manier in elkaar paste, zodat iedereen meteen moest toegeven: je hebt gelijk. Of wanneer hij iemand smekend aan- keek en zijn geliefkoosde uitspraak herhaalde: dat hij er al slecht uitzag en dat het op zijn einde liep.

Dat was in het begin van de winter, en de volgende maanden was er niets veranderd. Hij zat in huis te nik- sen, vaak dronken, scheen alle hoop te hebben opgege- ven en sleurde zich helemaal willoos van de ene dag naar de andere voort. Eén keer nog werd hij gezien tij- dens een wandeling in de diepe verse sneeuw, verder in het dal tot voorbij de Rofenhoeve; en een andere keer konden de kinderen hem overhalen om een iglo te helpen bouwen en bleef hij de hele dag buiten. Maar beide keren was hij helemaal overstuur thuisgekomen en huilend naar boven naar zijn kamer gerend, zodat niemand wist wat te zeggen of te doen, en niets zei en niets deed zoals al die jaren daarvoor.

Verder nog iets? De laatste dagen zat hij bijna de hele tijd op zijn kamer en liet hij zich niet zien, ook niet bij het eten of op weg naar de drankkelder of bij andere verrichtingen die hij zelfs in zijn slechtste mo- menten niet kon laten. Hij antwoordde niet als moe- der Novak vroeg op zijn deur te gaan kloppen, en de maaltijden die voor hem in de gang werden neergezet liet hij staan, zelfs de wijn die hij gewoonlijk dronk, een tweeliterfles van de goedkoopste soort. Op een rustige middag ging moeder naar boven en sprak hem toe, maar hij deed niet open, ook al smeekte ze nog zo en verzekerde hem dat het goed zou zijn, Jakob, en dat hij zich niet hoefde te verstoppen, voor wie dan? Niemand had hem nog gezien behalve zijn schoonzus, toen hij op een keer midden in de nacht uit de kelder was gekomen met in elke hand een fles en zonder iets te zeggen langs haar heen was geslopen in de donkere gang.

De dagen gingen ook zo voorbij, vast en zeker. Er was genoeg te doen met de paastoeristen en behalve moeder maakte niemand zich er zorgen over of hij onbeweeglijk op zijn bed lag en piekerde over wat hij daarna zou gaan doen, of met een glas in zijn hand, af en toe een slok nemend, in een eindeloze monotone leegte wegsoesde. Of het ging niet goed met hem en hij was uiteindelijk echt ziek geworden, denken we nu, in de keuken, waar de inspecteur en zijn assistent in het gangetje tussen fornuis en aanrecht zijn blijven staan, even nog, voor ze hem meenemen.

Toen hij weer kwam opdagen en aan tafel ging zitten, gisteren in de vooravond, stelde niemand vragen. Hij keek toe hoe de dagelijkse voorbereidingen in de keuken langzaam op gang kwamen en luisterde niet naar de uitspraken van de kinderen die meteen om hem samengroepten, hij lette nauwelijks op zijn schoonzuster toen ze het een of ander opmerkte, en dat zijn trui te warm was voor de tijd van het jaar. Er viel niets te zeggen. In stilte kauwde hij op het stuk brood dat moeder voor hem uit de voorraadkast had gehaald, en leek te zitten wachten. Of er iets opgevallen is? Ineens begon hij te lachen en keek op een

vreemde manier naar de deur, daar, of naar iets wat erachter zat en dat de anderen niet konden zien. Hij was
glad geschoren en zijn bleke gezicht was helemaal in-
gevallen, een ongewone aanblik na al die weken dat ze
hem nauwelijks hadden gezien. Hij had een schoon
hemd aan, een pas gewassen broek, en zijn schoenen
waren gepoetst, zijn haar was nog niet zo lang geleden
geknipt, maar toch al lang genoeg, zodat de wonden in
zijn nek haast niet meer te zien waren.

Toen het eten in de zaal werd opgediend, stond hij
op. Ze hoorden zijn stappen in de hal en op de trap
naar buiten en dachten dat hij de straat zou oversteken
en geld zou gaan schooien om naar de melkbar of naar
Café Tirol te gaan, of naar de plek waar hij uiteindelijk
zou belanden, stomdronken. Er was geen enkele reden om aan te nemen dat het geen dag zoals alle andere zou zijn, en ze hadden er niet bij stilgestaan, niet
speciaal, en zeker niet zoals nu, in de keuken, waar de
inspecteur alweer aanstalten maakt om te vertrekken
en ons van alles te binnen schiet.

Op een keer, hij was nog niet lang terug uit de stad,
sliep hij een hele week lang in het pension van Karlinger, we herinneren ons dat ze hem hadden opgemerkt,
de kerkgangers, toen hij 's ochtends door het raam
sprong en tot aan zijn buik in de verse sneeuw zakte.
Hij durfde de trap niet te nemen toen hij beneden lawaai hoorde, het dienstmeisje dat al op was en het ontbijt bereidde voor de gasten of dat afwachtte tot de dag
begon. Thuis zei hij dat hij met vrienden naar het na-

burige dorp was gegaan en zich de hele nacht niet meer los had kunnen maken.

Terwijl iedereen in huis sliep, sloop hij de trappen op achter de onbekende vrouw aan. Ze praatten niet in het donker en liepen achter elkaar door de smalle gang. In de kamer stonden ze in stilte tegenover elkaar of zaten bij het lage raam en keken naar de grijze winternacht, en telkens als hij aarzelend probeerde haar hand vast te pakken, schrok hij eerst en wist niet wat te doen; of hij haar nu moest vasthouden of strelen. Ze hadden vanaf de eerste dag veel gezwegen, bij voorkeur niets gezegd en onbegrijpend gelachen om elkaars taal die ze niet begrepen.

In bed hield hij zijn kleren aan en streelde met onzekere vingers haar naakte lichaam. Er viel niets te zeggen, niets, en wat ze onder de dekens fluisterden, had alleen maar klank en geen betekenis. Hij raakte haar aan zoals hij dacht dat ze dat van hem wilde, en praatte, als hij praatte, omdat hij dacht dat het er het juiste moment voor was. Gewoonlijk lag hij de hele nacht wakker, met open ogen te wachten. Of wachtte hij niet langer op het grote geluk dat maar niet kwam?

Als hij zich over de slapende vrouw heen boog en haar adem voelde op zijn wang, waren het altijd dezelfde gedachten die hem ineens terug deden schrikken: hoe eenvoudig, slechts even vastpakken, even drukken, en alles was voorbij. Hij bleef roerloos liggen, liet daarna zijn hand onder de deken glijden en hield hem een hele tijd op haar warme borst. Op een keer was hij 's morgens vroeg ingedommeld, en toen hij wakker werd, boezemde de plotselinge leegte hem een vreselijke angst in, hij stormde luidruchtig de trap af en het huis uit. Er moest iets fout gegaan zijn, of misschien was dat in zijn gedachten altijd zo, en hij had zich nog nooit zo slecht gevoeld toen hij thuiskwam en stiekem naar zijn kamer sloop.

Als kind wilde hij priester worden. Hij liet het thuis weten en bleef erbij toen hij wat ouder was geworden. Hij had geleerd om aan de verwachtingen te voldoen, zeker als hij er zelf verantwoordelijk voor leek te zijn. Tegen zijn overtuiging in reageerde hij niet op vragen toen het hele dorp al vermoedens had en zijn klasgenoten hem begonnen te jennen en elke dag nieuwe namen voor hem verzonnen die niet te veel goeds beloofden. In de zomer kwam de pater op bezoek en zaten ze samen op het terras, weet je het nog, en bij het afscheid gaf hij moeder een hand en zei dat Jakob goed wist wat hij deed als hij in de stad naar het gymnasium ging en later zou gaan studeren.

Op school luisterde men nieuwsgierig naar de jongen, en zijn werk werd de anderen als voorbeeld voorgehouden, felgekleurde tekeningen van mensen op een weide, omringd door knalgele aureolen, en boven hen waakte een reusachtig oog; God, stond er in drukletters als verklaring onder, en soms ook andere voor de hand liggende woorden, zoals beproeving of verdrijving, of de zeventig plagen. Op werkdagen liet moeder ons slapen en stuurde hem vroeg in de ochtend alleen naar de kerk, ook in de winter, toen het nog don-

ker was en er soms sneeuw lag en nog geen spoor gemaakt was op de weg. Hij ging zonder morren, stond
op, ging zitten en knielde, en alleen hij kon het geweest zijn die achter een paar oude vrouwtjes aan naar
buiten kwam of zwijgend naar huis liep.

Later kon hij er alleen maar om lachen. Hij kon
moeilijk geloven dat hij het geweest was, dezelfde ik
die soms dagenlang de gekste streken uithaalde en het
liefst van al een doodzonde had begaan, zijn vriend
had vermoord of zoiets, om toch maar iets belangrijks
te kunnen biechten in plaats van alweer het oude liedje dat hij gelogen en gestolen had en zijn vader niet
geëerd, omdat hem niets anders te binnen schoot. In
de sacristie had hij weleens hosties gestolen die hij op
weg naar huis een voor een had opgegeten, en op een
keer, op een middag, werd hij door de pastoor betrapt
toen hij met zijn armen gespreid voor het altaar stond,
een slakom vol wijn zegende en Hanna liet knielen en
weer opstaan om te bidden op zijn bevel.

De kerk liep hij later nog weleens binnen en vanaf
de ingang keek hij verbaasd naar voren, dacht nergens
aan of aan totaal iets anders. Hij keek niet weg als iemand zich naar hem omdraaide en een afkeurend gezicht zette omwille van zijn toestand. Hij ging er het
liefst naartoe als hij dronken was, omdat hij dan soms
alles kon geloven of tenminste alles kon vergeten, voor
eventjes of de hele tijd, tot hij weer nuchter was. En
verder? Op Kerstmis hield hij het tijdens de midder-
nachtmis een keer niet meer uit, kreeg nog net de zware deur open en begon over te geven voor de rijen gra-

ven, het bleef maar komen, hij stikte bijna, tot hij ten slotte uitgeput in de sneeuw bleef liggen, vlak voor de deur, waar ze hem halfbevroren vonden en uitscholden tot hij overeind kwam – wat er aan de hand was, wat dan – en naar de kerktoren keek vanwaar een kerstlied weerklonk, op de trompet vals en weemoedig in de stille nacht geblazen.

Hij had verward gekeken en meestal niets gezegd, als ze bij verschillende gelegenheden over zijn kindertijd vertelden, dat was lang verleden tijd, dat was een bepaald moment geweest, goed of slecht, en wat betekende dat, later, verleden tijd, als hij er zich niets van herinnerde? In de stad had hij er soms over nagedacht; maar het was zinloos omdat je telkens weer op een grens stuitte, en wat lag daarachter? Hij moest geloven wat de anderen zeiden of zijn eigen verhaal verzinnen, of drinken en alles proberen te vergeten, of het kon hem geen jota schelen hoe hij was geweest.

Hij had geen moeite met het verleden op zich, maar wel met de manier waarop ze dat verleden steevast benaderden: het is allemaal heel goed gelopen, zoals het moest. Ze hadden het kind geslagen, en moeder vertelde nog altijd heel trots hoe ze hem klein gekregen had toen vader voor een paar dagen naar de stad moest. Ze had de schreeuwer in zijn kamer laten schreeuwen, had de deur gesloten en was pas weer naar binnen gegaan toen hij geen kik meer gaf. Wat moest je beginnen met een driftkop die huilde en schreeuwde en zelf niet wist waarom? Wanneer ze 's nachts opstond en zich over het spijltjesbed boog, probeerde ze op het hoopje ellende in te praten en ze zat soms zelf te huilen, zodat de jongen schrok, of ze trok zijn luier af en gaf hem een stevig pak rammel op zijn billen. Moeder vertelde dat blijkbaar graag, het resultaat had bewezen dat ze gelijk had, zei ze, en dat het kindje braaf geweest was, dat ze de hele nacht konden doorslapen toen vader terug was uit de stad.

Jakob wilde het liefst zijn oren dichthouden of moeder vragen om te zwijgen en probeerde nauwelijks zijn tranen te verbergen. Of hij er schade onder geleden heeft? De jongen had een longontsteking en was bont en blauw geslagen voor hij naar het ziekenhuis werd gebracht, die avond, het had gesneeuwd, zeiden ze, vader had geen tijd en hij had moeder alleen naar de stad gestuurd, met de bus, met het kind op haar schoot dat geen moment stil was geweest. Wat heeft die vraag te betekenen? Niemand heeft er schade onder geleden, en zolang niemand doodgegaan is, is het tegendeel niet bewezen.

Waar hij de gasten de schuld van gaf? Zolang hij een kind was geweest, hadden ze hem als kind behandeld en hem tot helemaal boven achternagezeten met hun gevraag en met het snoep waarmee ze hem onder de keukentafel vandaan wilden halen om te vertellen of te luisteren naar wat ze wisten over de grote wereld en hoe men zich erin hoorde te bewegen. Hij begreep nooit wat ze nou eigenlijk van hem wilden, en zelf wilde hij niets van hen, alleen met rust gelaten worden wanneer ze hem vroegen zich niet zo aan te stellen. In feite had hij niet veel tegen hen, als kind, in elk geval niet meer dan tegen mensen in het algemeen, en eigenlijk was hij alleen maar verlegen geweest, de eerste jaren, mensenschuw, dat was het woord waarmee hij al beschreven werd toen hij nog amper kon lopen.

Later werd het steeds moeilijker om zijn vreemd gedrag te benoemen, en ook het woord problematisch werd slechts aarzelend opgeschreven, bij gebrek aan beter, en ten slotte alleen maar gekozen omdat het ten minste op hem zelf toepasselijk was. Wat wilden ze? Elk seizoen zag hij weer hoe hem een leven werd voorgespiegeld, het lust- en treurspel van hun zogenaamde dagelijkse leven, en daar stond hij dan, een toeschouwer die alles als echt moest beschouwen en die 'mooi' moest roepen, of 'leuk', en enthousiast in zijn handen moest klappen. Wanneer ze hem nodig hadden werd hij erbij gehaald en mocht hij mee op de scène, als skileraar, jodelaar, bordenwasser of wat ze ook maar konden bedenken, alpenroos of gemzenjager misschien, en dat was het dan. Op een keer vertelde hij over zijn tijd in de stad, dat hij op het gymnasium gezeten had, een paar maanden, en ze zeiden dat dat toch niets voor hem kon zijn geweest; of was je misschien gezakt? En zelfs een einddiploma zou niet veel hebben uitgehaald, want het was toch maar iets Oostenrijks.

Hij wilde nog steeds niets, alleen maar met rust gelaten worden, en het liefst was hij keihard beginnen te schreeuwen als hij die rust niet kreeg. Hij kon nog verdragen dat ze altijd alles beter wisten, maar niet dat ze ongevraagd bij hem in de buurt kwamen, hem lastig vielen en hem niet losieten, elke winter, elke zomer en als je niet uitkeek ten slotte altijd.

En al die avontuurtjes? Dochters van Duitsers zijn geen Duitsers, zei hij, zolang hij achter ze aanzat en hen aan de haak probeerde te slaan. In het schemer-duister van een café hield hij hun hand vast en noem-de hen teder piefke, en achteraf, of wanneer hij tussen hun benen mocht zitten, kon hij soms het triomfante-lijke gevoel niet onderdrukken dat hij het hun betaald had gezet, allemaal, en fluisterend van opwinding ver-klaarde hij hun zijn liefde of iets anders onnozels. Als ze vertrokken waren zat hij over hen te piekeren, en hun relatie bleef altijd vaag, tot hij er niet meer aan dacht, of soms kwam er jaren later eentje terug en wist hij niet waar te kijken of wat te zeggen of keek haar niet aan en vertelde over vroeger en dat ze toch wel on-beschofte kinderen geweest waren.

Hij wilde niets.

'Hij is geen slecht mens,' zegt moeder. Ze staat in het gangetje tussen het fornuis en het aanrecht en steekt bijna bezwerend haar handen op. Haar gezicht ziet er bijna ontspannen uit in de zon, in het felle licht dat schuin door de ramen valt, tot je goed kijkt: trillende mondhoeken, alsof ze meteen zal gaan huilen, en haar ogen, ze glanzen van vermoeidheid en van het drank-misbruik. We hebben die zin vaak gehoord, hij werd bij verschillende gelegenheden uitgesproken en altijd gevolgd door dezelfde stilte, alsof er ernstig over nage- dacht werd of hij nog altijd gold, telkens als hij iets had uitgespookt of als er weer iets fout gelopen was. Novak staat bij de gootsteen en knikt instemmend, en mis- schien klopt het wel dat hij het best op de hoogte is, vooral over de laatste tijd, toen moeder hem altijd vroeg om voor Jakob te zorgen, en hem alles liet doen wat haar, en zeker ons, zijn broers of zijn schoonzus, te veel was.

In de aanhoudende stilte zijn de blikken op hem ge- richt, maar hij draait zich zwijgend om en laat het zware keukenmes dat hij in zijn hand houdt met veel lawaai in de metalen bak vallen.

Buiten is geen enkel geluid te horen. Op het terras van Café Tirol komen de eerste gasten overeind en be- ginnen uit de wanordelijke stapel aan de kant van de weg hun ski's en hun stokken te zoeken. Eén groep loopt al met onbeholpen passen over de brug, en een andere verdwijnt achter het Fendhotel, op weg naar de oefenhelling die naast Karlingers stal ligt en zich uit- strekt van de beek tot de rand van het bos. Er blijven nog heel wat gasten zitten in de zon, ze laten zich met hun ogen dicht of achter hun donkere brillen helemaal gaan, en er moet al iets heel speciaals gebeuren om ze nu te verstoren.

'Het is tijd,' zegt de inspecteur.

'Kamer tien.' Moeder blijft midden in het gangetje onbeweeglijk staan.

'Zo.' De assistent wacht bij de deur, en terwijl ze al- lebei nog een keer hun dienstpet afnemen en ons toeknikken denken we hoegenaamd nergens aan, denken we niet eens dat het te laat is om te denken.

'Tot ziens,' zeggen Viz, Valentin en mevrouw Gritsch bijna gelijktijdig.

Wij zwijgen.

ZEVEN

We kijken elkaar aan, kijken moeder aan die ineens geschrokken naar de deur blijft staren, kijken op de keukenklok, waarvan de wijzers achter het met vet beslagen glas stil zijn blijven staan, en wachten: niets, hoe ze ter hoogte van de voorraadkamer de plavuizen betreden, de vastgespijkerde planken voor de kelderdeur, die geen lawaai maken. En nu: het gesteun van het bureau en de toiletten, we horen aan het gekraak van de plankenvloer hoe ze zich verwijderen, het gekraak van het trappenhuis, de trappen op, waar ze Jakob halen, terug naar beneden, het gekraak van het restaurant, van de woonkamerdeur, en na een korte stilte het geknars van de veer waardoor de voordeur in het slot getrokken wordt – de lichte slag, nauwelijks te horen, die het beëindigt. We gaan bij het raam staan als de auto voorrijdt voor ons huis, en alleen moeder blijft roerloos staan, in het gangetje tussen het fornuis en het aanrecht, haar handen voor haar schoot gevouwen, en ze kijkt wel en ze kijkt niet hoe ze met zware passen de trap af gaan, Jakob in het midden, nauwelijks zichtbaar tussen de uniformen, die hun dragers in het felle middaglicht een heel bijzonder bestaan verlenen. Op het zonneterras van Café Tirol draaien de bruingebrande gezichten zich om: ogen die achter donkere brillenglazen nieuwsgierig de auto volgen, hoe hij over het hobbelige wagenspoor rijdt, langs de winkel, *Kruidenierswaren* staat in afbladderende verf boven de ingang, en in de glazen deur verschijnt nu de verkoopster, ze draait de sleutel twee keer om in het slot, stapt naar buiten en speurt een hele poos de straat af naar links, daar, kijkt de auto na tot hij niet meer te zien is vanaf de plaats waar ze staat. Terwijl Viz, Valentin en meteen daarna mevrouw Gritsch afscheid nemen en door het halletje, via de smalle houten trap naar buiten gaan, rijdt hij al naar de brug toe, voorzichtig over de verraderlijk bevroren planken, kijk, kijk nou, onder het afdakje waarover de draden van de stoeltjeslift gespannen zijn, en bijna bij de eerste huizen van de overkant van het dorp, waar we hem een paar seconden uit het oog verliezen. Daarna duikt hij in verminderde vaart weer op bij de versmalling bij het Posthotel, bereikt de stal daarachter, met de wegsijpelende plas bloed voor de poort, rijdt langs het Kleonhotel, voorbij de bakkerij en nadert langzaam de kerk.

Daar gaan ze, zegt mijn broer en hij kijkt moeder aan die nog steeds niet beweegt en onder zijn blik ineens begint te bewegen, een paar moeizame stappen zet, twee, drie pasjes tot aan de pannen die nog steeds leeg zijn en naast elkaar op de rand van het koude fornuis staan. Ze buigt zich eroverheen, onverstaanbaar woorden prevelend, en terwijl ze Novak vraagt nog een glas voor haar op te warmen, met veel wijn en veel suiker, zien we weer haar gezicht, haar neus en haar wangen rood door de drank, en ineens zien we al die jaren in dat gezicht, haar jaren, onze jaren en die van Jakob, zo oud is ze. In de keuken wordt het even heel stil. Daar gaan ze – en nu komt moeder bij ons aan het raam staan, kijkt mijn broer niet aan die met zijn hand naar buiten wijst, en begint nu eindelijk, met gebogen hoofd, opdat we het niet zien, stilletjes te huilen.

De auto glijdt al over de weg het dal uit, glimmend wit in de felle middagzon, wanneer de voordeur achter het oudje van de Rofenhoeve zwaar in het slot valt en ze de gloeiend hete kamer betreedt, wees gegroet Maria, een kruis slaat en huivert, zoals er een huivering door haar hele lichaam trok toen ze de auto voorbij zag rijden. En verstrooid begint ze de wollen draad op het kluwen te winden die in meest vreemde banen over de hele kamer verspreid ligt. Eén: bij de slag van de pendule heeft ze haar bril gevonden en opgezet, haar blauwgroen gestreepte hoofddoek afgedaan en nu, terwijl de doffe toon wegsterft, gaat ze moeizaam, met stijve benen zitten, en niets – het leven kan voortgaan. De wegrijdende auto is het dorp niet ontgaan, en wie tijd heeft staat bij het raam en kijkt vol spanning of er nog iets gebeurt tussen de huizen of verderop in de straat, die glanzend zwart de talrijke bochten van de besneeuwde hellingen volgt. Nu springt de wijzer van de schoolklok verder, blijft lichtjes trillend staan, een minuut over een, in het lege klaslokaal waar de stoelen in rijen zijn gezet en waar op het bord, half uitgewist en met opgedroogde vegen eroverheen, nog net de steden van het laagland te lezen staan, en daaronder krkbelingen, losse letters, blijkbaar lukraak door een kinderhand opgeschreven. De verkoopster komt weer naar buiten met een grote zwarte zak die ze over de grond achter zich aan sleept, en op hetzelfde moment begint ergens in de verte een hond te blaffen, zo zacht dat het bijna niet te horen is. Als de bus meteen daarna komt aangereden, schommelend in de onregelmatige geulen van bevroren sneeuw die elk jaar rond deze tijd in de schaduw van de huizen ontstaan, wanneer hij voor het Fendhotel halt houdt en een hele schare kinderen door de achterdeur laat uitstappen, de scholieren uit het naburige dorp, op dat moment misschien, of toch pas wanneer hij een paar meter verder is gereden en zacht schommelend aan de kant van de weg tot staan is gekomen, blauwglanzend in de zon, heeft de baas van het Fend op de wandklok gekeken en het is acht over een. En ineens, als een gil, begint weer het geknetter dat al de hele ochtend het dorp teisterde, van de ene helling over de daken teruggekaatst naar de andere, en de jongelui, met z'n drieën zijn ze, rijden op hun motorfietsen af en aan, daar, met hun glimmende rode helmen in het middaglicht, draaien onvermoeibaar rondjes in de kniehoge sneeuw die door de achterwielen metershoog wordt opgestoven, en stormen almaar weer diezelfde trap op, vijf treden omhoog, en aan de overkant in één keer van het bordes weer omlaag, zodat de veren met een piepend geluid diep doorzakken.

Norbert Gstrein bij Uitgeverij Cossee

Een wrede zomer
Roman. Vertaling Els Snick
Gebonden, 272 blz.

Als de journalist Christian Allmayer na een schietpartij
in Kosovo om het leven komt, raakt zijn vriend en colle-
ga Paul geobsedeerd door de vraag hoe dit heeft kunnen
gebeuren. Allmayer werkte al acht jaar als oorlogscor-
respondent in Joegoslavië, kende van nabij de gevaren
van het front, en wist hoe de grootste risico's omzeild
moesten worden. Maar in Kosovo, waar de oorlog nota
bene al was afgelopen, liep hij op onnozele wijze in een
hinderlaag. Waarom? Heeft Allmayer de dood soms gezocht?

Paul reist met zijn Kroatische vriendin Helena naar
Joegoslavië om te achterhalen wat er daadwerkelijk is
gebeurd. De mensen met wie hij spreekt, vertellen ver-
warrende verhalen, of ze zwijgen, of ze uiten bedreigin-
gen. De afgrond van de oorlog waarin Allmayer is verdwenen, wordt almaar dieper.

Een wrede zomer is gebaseerd op ware gebeurtenis-
sen in Joegoslavië tijdens de jaren negentig.

'De roman had niet zo geslaagd kunnen zijn als Gstrein
het verslag van dit treurspel niet op ingenieuze wijze

had verbonden met een spel van intieme persoonlijke betrekkingen. Een roman van Europese allure, en bovendien een spannend boek.' – *NRC Handelsblad*

'Het is een spannend boek over de onmogelijkheid een waarachtig beeld van de oorlog te vormen, en het is tegelijk een felle kritiek op de gebruikelijke oorlogsverslaggeving.' – *Frankfurter Allgemeine Zeitung*

'De lezer raakt gefascineerd door de kracht van Gstreins beelden. Zo heeft nog niemand geschreven over de ondergang van Joegoslavië. Het boek heeft alles wat grote literatuur kenmerkt.' – *Neue Zürcher Zeitung*

Meer informatie over Norbert Gstrein en de boeken van uitgeverij Cossee vindt u op onze website www.cossee.com